S0-ARM-906

CHI
TF
WILD

银湖岸边

小木屋的故事5

Yinhu Anbian

［美］罗拉·英格斯·怀德 著

李娜 译

CANCELLED

WILLOUGHBY CITY
LIBRARY

CITY LIBRARY

时代出版传媒股份有限公司

安徽教育出版社

图书在版编目（CIP）数据

银湖岸边／（美）怀德（Wilder, L. I.）著；李娜译. — 合肥：安徽教育出版社，2011.3

（小木屋的故事；5）

ISBN 978 - 7 - 5336 - 5843 - 4

Ⅰ．①银… Ⅱ．①怀… ②李… Ⅲ．①儿童文学 - 长篇小说 - 美国 - 现代 Ⅳ．①I712.84

中国版本图书馆 CIP 数据核字（2011）第 028084 号

书　　名：**银湖岸边**　　　　作者：（美）罗拉·英格斯·怀德

译者：李娜

出 版 人：朱智润　　选题策划：阿卡狄亚　　封面设计：阿卡狄亚·魏清清

责任编辑：孙婷婷　　特约编辑：李京

出版发行：时代出版传媒股份有限公司 http：//www. press - mart. com

安徽教育出版社 http：//www. ahep. com. cn

（合肥市繁华大道西路 398 号，邮编230601）

营销部电话：（0551）3683010，3683011，3683015

印　　制：山东临沂新华印刷物流集团有限责任公司 电话：0539 - 2925659

（如发现印装质量问题，影响阅读，请与印刷厂商联系调换）

开本：710mm×1000mm　1/16　　印张：15　　字数：180 千字

版次：2011 年 4 月第 1 版 2012 年 4 月第 2 次印刷

ISBN 978 - 7 - 5336 - 5843 - 4　　　　　　　　定价：24.00 元

版权所有，侵权必究

目录

第一章 突然而至的客人

　　一天清晨,罗拉正在屋里洗碗盘,突然听到躺在门口晒太阳的杰克叫了几声,她知道有人来了,抬头一看,一辆单座马车正在通过满地碎石的梅溪浅滩,向小屋这边驶来。

　　"妈,有个陌生的女士来了。"罗拉说。

　　妈叹息了一声,罗拉知道她是为家里一片乱糟糟的景象感到难为情,罗拉也感到如此。不过妈现在的身体不好,罗拉又太忙,而且她们都很难过,顾不了太多了。

　　原来,玛丽、凯莉、小宝宝葛丽斯和妈都患上了猩红热,而且小溪对岸的邻居尼尔森一家也得了同样的病,这样就只有爸和罗拉照顾大家。医生每天都会来家里出诊,爸简直不知道怎样才能付得起这些账单。而且最糟糕的事情发生了——玛丽的眼睛因为发热太厉害而变瞎了。

　　现在,玛丽裹着被子能在妈的那把老胡桃木的摇椅上坐一会儿。

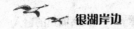

时间一周一周地过去,在那段漫长的日子里,她的眼睛越来越看不清楚,不过她没有因此哭泣过。如今,就连最耀眼的光线她也看不到了,不过她仍然保持着耐心,坚强面对生活。

这场病还害得玛丽失去了一头金发,爸将她的头发剪得很短,这让她看起来像个男孩子一样。虽然她的一双蓝眼睛仍然美丽,却再也闪烁不出动人的光芒。她看不见了,以后再也不能用眼神来告诉罗拉她的心思。

"一大早会有谁来呢?"玛丽疑惑地问,转过头对着马车来的方向,仔细倾听着。

"是一位独自驾驶马车的陌生女士,她戴着一顶棕色的太阳帽,拉车的是一匹栗色小马。"罗拉回答,爸曾经说过,从此以后她就是玛丽的眼睛。

"我们晚餐准备怎么做?"妈问,她的意思是该如何准备客人的晚餐——如果那位女士要一直留到晚餐时间的话。

现在,家里只有面包、蜂蜜和土豆,再没别的吃的了。眼下正是春天,菜园里的蔬菜还没有长成,母牛没有产奶,母鸡也没有下蛋。梅溪里只有一些小鱼,就连小棉尾兔都很少见了。

爸从来不喜欢像这样劳损不堪、猎物稀少的土地,这两年他一直都想去西部申请一块放领地,不过妈不想再搬走了,而且眼下也没有钱供他们搬家。蝗灾之后,爸勉强种出两茬小麦,就再也种不出什么庄稼了。现在的罗拉一家,只能勉强维持在不借债的水平上,医生的账单还没有钱支付呢!

罗拉坚定地回答妈说:"我们自己觉得很好的晚饭,对别人而言也是同样的好!"

马车在小屋门口停下来,坐在马车上的那位女士静静地看着迎在门口的妈和罗拉。她很漂亮,穿一身干净的棕色印花布裙子,头上戴着棕色太阳帽。罗拉感到自己十分寒酸,她光着脚,身上穿的是很粗糙的衣服,就连头发都没有梳理整齐。妈慢慢地说:"天呀,你是多西娅!"

原来,她就是那位漂亮的多西娅姑姑,在很久以前,罗拉一家还住在威斯康星大森林的时候,他们去参加爷爷家举办的熬制枫糖的舞会上,多西娅姑姑曾穿过一件订着蓝莓形状的纽扣的裙子。

现在的多西娅姑姑已经结婚了,她嫁给一个有两个小孩的鳏夫,是做承包工程的,在西部的铁路上工作。多西娅姑姑一个人驾驶着马车,从威斯康星大森林出发,一路劳顿去往科他地区的铁路营地。

现在,她顺路过来看望罗拉一家,顺便问问爸是不是愿意跟她一起去铁路营地。她的丈夫——罗拉的海逸姑父——想找一个可靠的人给他当店员、书记员和统计员,爸就是最合适的人选。这样,爸也可以有一份工作可干。

"查尔斯,这份工作每个月的工资是五十美元。"多西娅姑姑说。

爸听了,脸上的表情一下放松下来,清瘦的脸颊一下舒展开来,他慢慢地说:"这样,在我申请到那块放领地的同时,我还能挣得一份优厚的工资,卡洛琳。"

不过妈不愿意去西部,现在仍不想去。她看看厨房,看看站在那里的凯莉和抱着葛丽斯的罗拉,说:"查尔斯,我不知道该怎么办。这听起来真的很不错,每个月五十美元,确实是上天的恩赐。但是我们已经在这里住好几年了,我们也有了自己的农场。"

"你听我的吧,卡洛琳,"爸恳求道,"我们搬到那边去就会有一百六十英亩的土地可以用,而且土地和现在这里的一样肥沃,没准还会更好呢!要是美国政府愿意在印第安地区——这块曾经把我们赶走

的地方——重新补偿给我们一块土地,我们为什么不要呢?在西部有很多猎物,一个男人可以凭打猎来获取他想要的肉。"

听着爸的话,罗拉非常向往那里,她几乎都要忍不住央求妈了。

"那我们要怎么走呢?"妈说,"玛丽的身体可吃不消这样的长途跋涉。"

"是啊,这倒是事实,"爸说,问多西娅姑姑,"那份工作能不能等一下？"

"不行，"多西娅姑姑说，"不行啊，查尔斯，他现在就需要人手，要么你应承下来，要么就拒绝，我再去找别人。"

"卡洛琳，一个月五十美元啊！还有一块肥沃的土地！"爸说。

好像过了很长时间后，妈才轻轻地说："好吧，查尔斯。你啊，总是认定自己觉得对的事情就非做不可。"

"多西娅，我接受这份工作！"爸站起来弹弹自己的帽子，"所谓有志者，事竟成！我现在就去尼尔森家看看。"

罗拉感到特别兴奋，连家务活也干不下去了。多西娅姑姑过来帮忙，她们一起干活的时候，她告诉罗拉一些威斯康星大森林的事情。

多西娅姑姑的妹妹——鲁比姑姑——也结婚了，现在有了两个儿子和一个名叫多丽·瓦尔登的女儿。她的丈夫是一名伐木工人，名叫乔治。亨利叔叔一家都非常好，亨利叔叔相信严厉的管教，堂哥查理比原来好多了。爷爷奶奶还住在老地方——那栋大大的原木屋子里，虽然现在他们已经有钱买房子了，但是爷爷却总说，用上好的橡木做成的墙壁比薄薄的锯木板搭成的墙壁好多了！

不仅是爷爷奶奶住在老地方，还有那只黑猫苏珊，当罗拉她们离开小木屋的时候留下的那只猫，现在还住在那里。小木屋已经被转手了好几次，现在变成了一个玉米仓库，不过苏珊却一直不肯搬家，说什么也不肯离开那里。现在苏珊在玉米仓库里生活得美滋滋的，它自己捉老鼠吃，根本不必发愁生计。那片地方的所有人家，都养着苏珊的后代猫咪。这些小猫都长着大耳朵和长尾巴，和苏珊一样个个都是捉老鼠的好手。

爸回来的时候，小屋已经打扫干净了，而且晚餐也准备好了。爸卖了农场，尼尔森付了两百美元的现金，爸显得很高兴。他对妈说：

"卡洛琳,这些钱能够还清所有的账单了,还能剩下一些呢! 这不是很好嘛?"

"希望就是最好的价钱,查尔斯,"妈说,"不过我们怎么才能……"

"等一下,让我来告诉你,我已经把所有的问题都想好了,"爸说,"明天一早我和多西娅一起走,你和孩子们留在这里,让玛丽好好养好身体,等她足够强壮可以出远门了,你们就坐火车过来。尼尔森已经答应我,会帮忙把我们所有的东西都送到火车站去。"

罗拉看着爸,妈和凯莉也同样看着。

玛丽说:"坐火车?"

她们可从来没想过自己会坐火车出门。自然啦,罗拉知道人们可以坐火车,不过火车经常会出事故,有时候还会伤害到人,不过罗拉并不觉得害怕,她只感到非常兴奋。凯莉睁大了眼睛,瘦小的脸上写满了惊恐。

她们都看过火车从牧场经过,火车头后面冒出滚滚黑烟,而且火车还会发出一阵阵轰隆隆的声音和响亮的鸣笛声。火车快要过来的时候,如果骑马的人没有牵好马的话,马就会受惊逃开的。

妈依旧保持着平稳的态度,她说:"有罗拉和凯莉一起帮我,我保证可以安排得很好的。"

第二章 长 大 了

爸第二天一早就得出发,所以很多事情都要今晚就准备好。爸给马车装好那顶旧的篷车支架,然后铺好帆布篷,虽然这些东西都已经很破旧了,但是坚持到这次旅途结束应该还没问题。多西娅姑姑和凯莉帮爸往马车上装东西,罗拉给爸洗衣服和熨衣服,还做了一些带在路上吃的饼子。

大家都在忙碌着,杰克就站在一边看着他们,没有人注意到这条老狗。后来,罗拉突然发现它呆呆地站在房子与马车之间。杰克不像平时那样蹦蹦跳跳的,也没有仰着脑袋开心的样子。它的腿非常僵硬,勉强支撑着沉重的身体,风湿病正在折磨着它。杰克的眼睛里充满了哀伤,又短又秃的尾巴无力地垂下来。

"杰克乖!"罗拉对它说,但是杰克并没有欢快地摇尾巴回应她,它只是哀伤地看着她。

"爸,你看杰克怎么了。"罗拉说着,弯腰拍拍杰克光秃秃的脑袋。现在,杰克身上漂亮的棕色皮毛都已经变成灰白色了,最开始是鼻子

上的毛变成灰白色,然后是下巴,现在连耳朵也变成了灰白色。杰克的头靠在罗拉身上,叹息了一声。

就在这么一瞬间,罗拉突然明白杰克是太老了,不能跟着马车跑到科他区。它这么哀伤是因为看到马车又要准备上路,而自己却老弱不堪,跟不上了。

"爸,杰克走不了这么远的路了,爸!我们不能丢下杰克不管!"罗拉大喊道。

"哦,那么远的路,杰克确实不能走了,"爸说,"我都把这个给忘了!我这就把饲料袋挪走,腾出一个地方来,让它也坐着马车一起走。喂,我的老伙计,你愿不愿意来坐坐马车呀!"

杰克勉强摇摇尾巴,扭着头走了。它不愿意离开这里,哪怕坐着马车也不愿意。

罗拉双腿跪地,伸出双手抱着杰克,就像她很小的时候那样,说道:"杰克!杰克!我们就要去西部了,你难道不想回去吗?"

以前,杰克看到爸准备马车的时候,就会急切地想要跟着。每次马车准备出发的时候,它就已经在马车的旁边准备好了。从威斯康星大森林到印第安区,再到明尼苏达州,这一路它都紧跟着马的脚步,蹚过小溪水,游过河流,在马车投下的阴影处不停地小跑过来。每个晚上,当罗拉睡在马车里的时候,它就在车下守卫着。每个早上,虽然它都非常劳累,但还是经常陪着罗拉去看日出。等马儿被套上马车,它就准备好迎接新一天的旅程。

现在,杰克不想旅行,只紧紧地靠着罗拉,湿乎乎的鼻子拱拱罗拉的手,示意罗拉抚摸一下它。罗拉摸摸它灰白色的头,摸摸那双耳朵,她能感到杰克的身体有多么劳累。

自从玛丽、凯莉和妈都患上猩红热病之后,罗拉忙得忽略了杰克。

以前,家里有什么困难杰克都可以帮忙,但是家里人生病的时候,杰克就有心无力了。可能就是在那段时间里,杰克觉得自己被忽略了,觉得非常孤独。

"我并没有那个意思,杰克。"罗拉对它说。杰克懂了,它与罗拉一直都是这样相互理解的。它曾经照顾过幼儿期的罗拉,等有了凯莉小宝宝之后,它又帮着罗拉照顾凯莉。每次爸出门的时候,杰克都会帮着罗拉照顾家人,杰克是属于罗拉的狗。

现在罗拉不知道要怎么告诉杰克,它得先离开她,跟爸一起走。可能无论如何它都不能明白,罗拉随后也会坐火车来的。

罗拉不能陪杰克太久,因为她还有很多事情要忙。不过这天只有罗拉稍有空闲,她就会对杰克说说话,摸摸它。到了晚上,罗拉为杰克准备了一顿丰盛的晚餐。等洗好了碗盘,准备好第二天的餐桌之后,罗拉就去为杰克铺窝。

它的窝在后门耳房的一个角落里,铺着一张旧的马毡子。罗拉一家搬到这所房子以后,杰克就一直睡在这里。罗拉住在阁楼上,杰克爬不上去。它就在楼下的耳房里住了五年,罗拉总是给它收拾狗窝,保持干净舒适。不过最近因为太忙,她都忘了这项工作,杰克试着用爪子刨开毡子,想自己弄得舒服一点,不过毡子已经变硬,不好弄了。

罗拉蹲在地上,先把毡子抖开,然后舒展地铺在窝里。杰克一直在旁边看着她,一直轻轻地摇着尾巴,显然很感激罗拉给它铺窝。罗拉把毡子铺好之后,在中间的位置上拍出一个凹坑,然后她叫一声"杰克",拍拍那个铺好的窝,告诉杰克可以睡觉了。

杰克走进去转一圈,然后停下来休息一下,它的腿都已经僵硬了。然后,杰克又慢慢地转着第二圈、第三圈。这么多年来,杰克每天晚上躺下睡觉的时候都要先转三圈,无论它是小狗的时候,还是在大森林

里、在篷车下面的草地上,它都会坚持这个睡前的动作。这也是所有的狗都会做的动作。

杰克慢慢地转完了三圈,然后重重地躺下,身体蜷缩在一起,它叹息一声,抬起头看看罗拉。

罗拉摸摸它的头,上面的灰白的毛很细,她心里想着以前的杰克是多么强壮。有了杰克在身边,无论是遇到狼还是印第安人,她总是安全的。很多次,杰克还帮着罗拉赶牛进牛棚。他们还在梅溪边一起玩耍,在那只螃蟹居住的附近池塘,他们度过了一个个开心的下午时光。罗拉去上学的时候,杰克就在浅滩那里等着她回家。

"好杰克!"罗拉说,杰克转头伸出舌头舔舔罗拉的手。它疲倦地把头垂下,叹口气,闭上眼睛想睡觉了。

第二天一早,罗拉起床后从楼梯走下来,爸正要出去干杂活儿,他跟杰克打声招呼,但杰克一动不动。

等他们围上去看,杰克蜷缩着躺在窝里,身体已经僵直冰冷了。

杰克被罗拉他们埋在麦田上的一个斜坡上,以前他们去赶牛的时候,杰克经常在一条小路上快乐地跑上跑下。爸把杰克装进一个木箱子里,然后铲一些土盖在上面,把坟头的表面弄得平滑一些。等一家人去了西部之后,这个坟头上就会长出青草来。

可爱的杰克啊!它再也不能呼吸着清新的空气,竖着耳朵、张着嘴巴跑过草地。它再也不能用鼻子蹭罗拉的手,让她摸摸它。其实,有很多次罗拉应该主动去摸摸杰克,她却没有这么做,罗拉后悔极了,不停地流着眼泪。

"罗拉,别哭了,"爸说,"杰克现在去天堂快乐地狩猎了。"

"真是这样吗?"罗拉哽咽地说。

"一条好狗最后会有个好结局的。"爸说。

　　是啊,罗拉想象着杰克在快乐的天堂里迎风奔跑,在平坦广阔的草原上奔跑,就好像它以前在印第安地区那片美丽的草原上奔跑一样。也许,它可以在天堂抓住一只长腿大耳兔。从前,它总渴望着能抓到这么一只长腿大耳朵的兔子,不过却从来没有抓到过。

　　早上,爸驾着那辆已经破旧的马车跟着多西娅姑姑一起走了。这次,没有好狗杰克站在罗拉旁边一起送爸,罗拉感到身边空落落的,她再也看不到杰克那忠诚的眼神,好像说它就在这里,它会好好照顾她的。

　　罗拉知道自己不是小姑娘了,现在她没有人可依靠,只能依靠自己、照顾自己。她觉得当一个人必须得依靠自己的时候,他做到了这一点,那么这个人也就真正地长大了。现在罗拉的个子并不大,但是她已经快十三岁了,而且没有人可以照顾她,更何况家里爸刚刚离去,杰克也没了,她不但得照顾自己,而且得帮妈照顾玛丽和两个妹妹,要保证她们都一起安全地乘火车去西部。

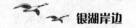

第三章　坐火车的经历

　　能够坐火车去西部的这一刻终于到了！罗拉简直不敢相信这一刻真的到了,因为过去的这些时间真是太漫长了,她慢慢地熬过一个星期又一个星期,一个月又一个月,好像怎么过也没有尽头似的。但是这么长的一段日子好像突然就过去了,已经到了启程的时候。梅溪、小屋还有很多罗拉都非常熟悉的地方都再也看不见了。最后的几天里,她们都非常忙碌,因为要收拾行李、打扫房间、擦洗地板、浆洗衣服,最后临出发前的一刻更是忙乱,她们得抓紧时间洗澡换衣服。终于在周五的早上,她们穿上干净整洁的衣服,打扮好出门了。她们坐在火车站的候车室里,等着妈去买车票。

　　再等上一个小时,她们就能去坐火车了！

　　几个女孩子坐在候车室里的板凳上,两个旅行包放在候车室的门外,站台上洒满了灿烂的阳光。罗拉一边看着旅行包,一边照看着葛丽斯,这是妈嘱咐的。葛丽斯穿着浆洗干净的亚麻布裙子,戴着遮阳帽,脚上穿着一双新鞋,安静地坐在凳子上,一双小脚伸得直直的。

那边的售票窗口处，妈正在打开钱夹子，小心翼翼地拿出钱来数。

坐火车可真能花钱啊！她们坐马车就从来不用付钱，而且要是能在这样美丽宁静的清晨，坐上马车出发，走在全新的路上，那真是惬意啊！现在是九月，天空中飘着朵朵白云。罗拉知道，她的同学们此时都在学校里上课，她们能够看到火车呼啸而过，她们也都知道罗拉就坐在这列火车里。火车跑得很快，比奔跑的骏马还要快，因为火车太快了，所以常会出现一些可怕的事故。你不会知道坐上火车之后会发生什么事故。

妈买好车票，然后小心地放进那个镶嵌珍珠的皮包里，最后再扣好皮包的扣子。今天妈穿着那件领口和袖口都有白色花边的深色裙子，戴着一顶麦草编成的黑色遮阳帽，边上有一圈窄窄的帽檐，一边还插着一小束白色的铃兰花，妈看上去漂亮极了！她走过来抱起葛丽斯，然后坐在凳子上。

现在她们只需要等待就可以了，因为为了防止错过火车，她们提前一个小时就到了车站了。

罗拉坐在凳子上，把自己的裙摆抚平，她穿着一条印有小红花图案的棕色印花布做成的裙子。她的脑后垂着两条棕色的发辫，辫梢用红色的蝴蝶结绑好，遮阳帽的上面也缠着一圈红色的缎带。

玛丽身穿印有蓝色花朵图案的灰色裙子，遮阳帽上缠着蓝色缎带，帽子的下面是用缎带束在一起的头发，这样外人就看不出什么端倪了。她那双可爱的蓝眼睛什么都看不到了，她却能感应到一些事情，她说："凯莉别乱动，你会弄乱你的裙子的！"

罗拉听了就伸头去看看凯莉，她坐在玛丽的旁边。凯莉显得很瘦小，她穿着粉红色的裙子，棕色的发辫和遮阳帽上也系着粉红色的缎带。她被玛丽发现自己做了错事，一张小脸涨得通红。罗拉正准备对

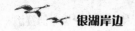

她说:"凯莉快来我这边坐,你可以随意动。"

就在这时,玛丽开心得脸上都有了光彩,她说:"妈,罗拉也在动呢!我能感到她在动,不用看我就知道!"

"还真是这样,玛丽。"妈说。玛丽开心地笑了。

罗拉感到无比羞愧,因为刚才她还在心里对抗玛丽呢!她一下站了起来,什么也没说就从妈的面前走了过去。妈只得提醒她说:"罗拉,你得说'不好意思'啊!"

"不好意思,妈。不好意思,玛丽。"罗拉礼貌地说着,走过去坐在凯莉的旁边。凯莉被罗拉和玛丽夹在了中间,觉得心里踏实多了。她真的害怕坐火车,不过她从来不会把内心的恐惧说出来,罗拉一直都明白这一点。

"妈,"凯莉害怕地问,"一会儿爸会来接我们的,对吧?"

"这会儿他都已经出门了,准备来接我们,"妈说,"从他所在的营地到翠西镇的火车站,驾着马车得走上一天才能到。我们到了之后就先在镇上等他。"

"那爸……嗯……爸能在晚上之前接到我们吗?"凯莉接着问。

妈回答她希望能如此。

"你猜不到坐火车出门会遇到什么事情,坐火车与坐马车出门可是完全不一样的,"罗拉说,想为大家宽宽心,"没准爸已经在那边申请到放领地了,凯莉你猜猜我们的新放领地会是什么样的?你先说说看,然后我再说。"

她们不能放松地聊天,因为得时刻听着火车的动静,千万别错开火车。她们等了很久很久,玛丽说她好像听到了火车开过来的声音,然后罗拉也听到了远处传来的很小的隆隆声,她感到十分紧张,心怦怦直跳,都没有听清妈在说些什么。

　　妈抱着葛丽斯,另一只手牵着凯莉,对罗拉说:"你和玛丽都跟在我后面,千万要小心!"

　　火车开过来了,声音变得很嘈杂,她们就站在站台上,行李包放在脚边,看着火车开进站。罗拉正在发愁怎么搬运这两个旅行包,妈的两只手都占着,她自己得扶着玛丽,没人能搬旅行包上车了。就在她这么想的时候,火车已经开得越来越近了,火车头圆圆的前窗像一只巨大的眼睛,在阳光下闪闪发光。火车的烟囱上有一个巨大的筒口,滚滚黑烟从那里冒出来,突然黑烟里夹杂着一股白烟,然后火车的汽笛就发出了长长的鸣叫声。咆哮着的火车直直地冲向她们,越来越近,所有的物体都随着站台轻微颤抖着。

　　现在最危险的时刻已经过去了,火车没有撞到她们,粗大的车轮载着火车轰隆隆地驶过,一阵摩擦声和碰撞声传来,然后车轮停止了转动,火车停了下来。现在,她们要准备上车了!

　　"罗拉,你和玛丽千万小心!"妈提高声音说道。

　　"好的,妈,我们都会小心的!"罗拉回答。她扶着玛丽,跟在妈的后面,一步一步地走下了台阶,等到妈停下了,她们也就停下等待着。

　　她们就这么小心翼翼地走到火车的最后一节车厢那里,踩着阶梯踏板就可以走进车厢里。一个穿着深色衣服、戴着便帽的男人帮抱着葛丽斯的妈上了火车,他接过妈手里牵着的葛丽斯,抱起来举高,高兴地说:"好个漂亮的小宝贝!"他又对妈说:"太太,这些旅行包是您的吗?"

　　"是的,那就麻烦你了!"妈说完,对着罗拉她们说,"你们快上来吧!"

　　凯莉悄悄地问妈:"那个人是谁啊?"罗拉正扶着玛丽走上阶梯,她们缩在车厢里一个很小的地方。那个男人高兴地提着她们的旅行包

从她们身边挤过去,然后用肩膀顶开车厢的门,她们就跟着他走进了车厢里。

车厢里是两排套着红丝绒的座位,上面坐满了乘客,因为车厢两边都是玻璃窗,所以非常明亮,光线充足,阳光透过玻璃窗洒在乘客和红丝绒的座位上。

妈在红丝绒的座位上坐下来,葛丽斯就坐在她的腿上,凯莉坐在她的旁边,她要玛丽和罗拉就坐在前面的那排座位上。罗拉领着玛丽走近那排座位,扶着她坐下来。丝绒的座位很有弹性,罗拉真想跳上去玩一会儿,不过她不能这么做。她小声地对玛丽说:"玛丽,这个座位上套着红色的丝绒布呢!"

"我能摸到,"玛丽说,用指尖轻轻地抚摸着座位,"我们的前面是什么?"

"前面是前排座椅的椅背,上面也有红色丝绒。"罗拉说。

这时,火车头发出汽笛的尖叫声,罗拉和玛丽都吓得一颤,火车就要开动了!罗拉转身跪在座位上,看着坐在后面的妈。妈脸上没有惊慌之色,她保持着平静的神态,穿着那件领口和袖口带有白色花边的深色裙子,戴着那顶有白色小花的遮阳帽,看起来真漂亮。

"罗拉,怎么了?"妈问。

"那个男人是谁啊?"罗拉说。

"是火车刹车员,"妈说,"好了,现在赶快坐好……"

妈的话还没说完,火车就猛烈地动了一下,妈一下就往后一靠,罗拉摔到了座位的靠椅上,遮阳帽也被弄歪了。火车又动了一下,不过没有刚才那么厉害,然后车身就颤抖起来,外面的站台开始慢慢地向后退了。

"火车开动了!"凯莉叫道。

　　火车颤抖得更加厉害了,发出的嘈杂声也更加巨大,车轮咔嚓咔嚓地发出有节奏感的声音,呜呜……咔嚓……咔嚓……呜呜……咔嚓……,车厢下面的轮子越跑越快,车站很快被甩到了后面,然后是木材厂、远处的教堂、学校,一个一个向后倒退,罗拉的心里留下了这么一副深刻的小镇最后的景象。

　　火车的车厢都随着车轮的节奏摇晃着,黑色的浓烟飘过去,一根电报线在外面忽上忽下地飘动着。事实上,那跟电报线根本就没有飘动,只是因为线是在电线杆子中间悬挂着,所以当火车疾驶的时候,看着那些线就好像飘起来了。在电线的旁边,广阔的草地和田园,还有那些远远近近的小屋和谷仓,都在飞速地向后退。

　　它们都是这样飞速地消失,罗拉都没来得及看清楚,它们就已经看不见了。要知道,火车一小时就能跑上二十英里,换成是马,得跑上整整一天才行。

　　这时候,车厢的门被打开了,一个个子很高的男人走进来,他穿着一件蓝色外套,上面镶了很多黄桐扣子,头上戴着一顶印有"列车长"三个字的帽子。这位列车长是来检票的,他在每个座位前都停下来,乘客把自己的车票给他,他则用手里的小机器给每张票都打上一个圆圆的小孔。走到罗拉她们这里的时候,妈递给他三张车票,因为凯莉和葛丽斯还很小,坐火车不用买票的。

　　列车长继续向前走着查票,罗拉轻轻地说:"玛丽!玛丽!他的衣服上有很多闪亮的黄铜扣子,帽子上还绣有'列车长'的字样呢!"

　　"嗯,还有他的个子很高,"玛丽说,"他说话的声音是从上面传下来的。"

　　罗拉想对玛丽形容出火车的速度有多快,那些电线杆向后退得有多快,她说:"电报线在两根电线杆中间塌下去又飘起来,电线杆一……二……三……它们跑得简直太快了！"

"我知道,我能感觉到火车跑得很快!"玛丽开心地说。

罗拉想起那个早上,那个可怕的早上,玛丽就连射进屋里的阳光都看不到了。爸对罗拉说她必须得做玛丽的眼睛,他说:"如果你肯帮助玛丽,你可以运用自己那双敏锐的眼睛和嘴巴,就完全能帮她看到这个世界。"罗拉答应了爸,所以她总是尽量帮助玛丽"看"世界,虽然玛丽很少请求罗拉讲讲外面有什么景物。

"这节车厢的两边都是窗户,一扇挨着一扇,"罗拉说,"窗户上有大块的玻璃,窗户中间的木条都像玻璃一样闪闪发光的!"

"哦,我明白。"玛丽说着,伸出手指去触碰那些玻璃和木条。

"南面的窗户那里有阳光洒下来,洒在红丝绒的座椅和坐在上面的乘客身上,还有一些余光照在地板上,光线不停地动着,一会儿向前,一会儿向后。在窗户的上面有很新的木板从两边墙上铺起,然后向车厢顶上弯曲,在天花板的中间有一块天窗,往外能看到蓝天和白云。现在往窗户外面看,铺满了草地的田野正在后退,其中有一些还留着收割之后的黄色草茬,一堆堆干草在谷仓旁边堆好,还有一些叶子变成了黄色和红色的小树在小屋的周围。

"哎,我们来看看车上的乘客吧!有一个头发稀少、满脸络腮胡子的男人就坐在我们前面的座位上,他正在专心地看报纸,根本就不看外面的风景。在前面的座位上坐着两个年轻人,都带着便帽,手里拿着一张大大的地图在看,我觉得他们肯定也是去寻找放领地的。他们拿着地图的手掌上布满了老茧,应该是经常干活儿的人。然后再往前一排座位上坐着一位金发女士,天啊,玛丽,她戴着一顶最漂亮的红丝绒的帽子,上面还别着粉红色的玫瑰花!"

这时罗拉看到有一个人走过来,她就对玛丽描述道:"现在走过来一个瘦瘦的男人,有一双短而粗的眉毛,留着长长的胡子,他的喉结特别明显。火车开得很快,又摇晃得这么厉害,这个人简直没法笔直地走过来。我想知道他为什么非得要在过道里走来走去的,天啊,玛丽!我知道啦!他走到了车厢尾端,墙上有一个手柄,他一拧就有水流出来。他用一个马口铁的杯子接水喝,喝水的时候他的喉结就一动一动的。现在,他又在接水了,拧一下手柄,水就流出来了。玛丽,你猜猜

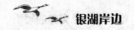

看他又做了什么？他把杯子放回一个小架子上,然后他就回去了。"

等那个人离开之后,罗拉决定问问妈,她能不能去喝水。妈说可以,于是罗拉就走了过去。

罗拉走在过道里,同样不能直直地走过去,车厢一直晃荡着,罗拉也随着晃,她只能扶着两边座椅的靠背走过去。最后她终于走到了车厢尽头,看到了光亮的手柄和水龙头,还有放着杯子的小架子。她转动手柄,就有水流出来,然后她再往回转动手柄,水流就停了。放杯子的架子下面有一个小洞,是专门排放拨出来的水的。罗拉觉得这一切真是太奇妙了!这个东西如此精巧,让人赞叹不已,罗拉想用杯子多接几次水,不过那样就太浪费了。所以罗拉只接了自己能喝的量,喝完之后又接了半杯准备给妈她们喝,这样走回去的时候就不会洒出来了。

罗拉端着杯子回去了,凯莉和葛丽斯都喝了水,不过妈和玛丽都不想喝,于是罗拉就把杯子送回了原处。现在火车还在疾驰,窗外的景物飞逝而过,车厢摇摇晃晃的,不过罗拉这次走过去已经不用扶着旁边的座椅靠背了,走得就像列车长那样平稳,都没有人会觉得罗拉是第一次坐火车。

有一个手臂挂着篮子的男孩沿着过道走过来,他向每一位乘客兜售商品,给乘客看篮子里的东西,有些乘客就拿出零钱买一些。一会儿之后他就走到了罗拉的跟前,罗拉看到了篮子里面是一盒盒糖果和一条条长长的白色口香糖。男孩给妈展示了篮子里的东西,问道:"太太,好吃的糖果和口香糖,买一点吧?"

妈摇摇头,男孩又打开了另一个盒子,里面装满了各种颜色的糖果。凯莉一看就发出了急促的呼吸声,她自己并没有意识到。男孩还摇晃着盒子,里面的糖果就微微地动了一下,不过并没有掉出来。里

面的都是圣诞节糖果,有红色、黄色和红白相间的,男孩继续游说着:
"太太,便宜又好吃的糖果,只用十美分,一毛钱而已。"

罗拉和凯莉都明白她们不能要求妈买糖果,所以她们都安静地看
着。不过,妈突然打开钱包,拿出了一个五美分的硬币和五个一美分
的硬币,交到男孩的手里,男孩交给妈那盒糖果,妈又给了凯莉。

等那个男孩离开之后,妈想了想,找出一个理由来说明她为什么
要花这么多钱,她说:"我们要庆祝一下这第一次坐火车的经历。"

葛丽斯还在熟睡中,而且妈说小婴儿是不能吃糖果的,妈拿了一
小块糖果,然后让她们去分剩下的糖果。玛丽、罗拉和凯莉就回到座
位,每个人分到了两块糖果。她们本想今天吃一块,然后留一块明天
再吃,这样两天就都有糖果吃了。不过第一块糖果刚刚吃完,过了一
会儿之后罗拉就想吃第二块糖果了,然后是凯莉也开始吃,到最后玛
丽也忍不住拿出来吃了。她们都把糖放在嘴里,一点一点哑摸着吃
掉,甜甜的味道一直留在嘴巴里。

火车拉响汽笛的时候,她们还在舔舔手指,回味着糖果的甜味。
火车放慢了速度,窗外的风景也慢慢地后退了。车厢里的乘客都在收
拾自己的东西,戴好帽子准备下车。一阵剧烈的摇晃和碰撞之后,火
车在车站停下来了。现在已经是中午了,她们到达了翠西镇。

"孩子们,吃那些糖果不会让你们吃不下午饭了吧?"妈问。

"我们并没有带午饭啊?"凯莉说。

"我们去旅馆吃午饭。好了,孩子们快走吧! 罗拉和玛丽要当
心。"妈有点犹豫地说。

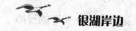
第四章 铁路的尽头

在这个四处陌生的车站里,罗拉她们并没有看见爸。那个曾经帮过她们的刹车员又帮着搬下旅行包,然后对妈说:"太太,如果您愿意等等我的话,我可以带您去旅馆,一会儿我也要过去。"

"好啊,谢谢!"妈回答。

刹车员去火车的前面,跟其他的工作人员一起卸下了火车头。被火烤得满身通红的火车司机从火车头里向外张望着,他的衣服上布满了油污和黑色的煤灰,一张脸也变得黑黑的。他拉下一根绳子,火车头就喷着汽向前开走了,只前进了一点儿就停了下来,然后发生的事情简直让罗拉大开眼界——火车头下面的铁轨用枕木连接在一起,在前__拐了弯,在地上转了一个圈,然后跟刚才的那道铁轨又连接__火车头随着铁轨转过来,就冲着她们来时的方向了。

__目瞪口呆,不知道该怎么把眼前发生的一切描述给玛

__弯之后就在车厢旁开过,呼呼地喷着热气,一直开到

比较远的地方,开到了车厢所在的那条铁轨上停了下来。然后有车铃响起,有人在喊着,并挥舞着手臂,只见火车头往回退回来,砰地一声撞到了列车的尾端,接着所有的车厢都发生了碰撞,不过没有大碍。现在,列车车厢和火车头都向着她们来时的方向了。

　　凯莉看得惊讶地张大了嘴巴,刹车员看到后不禁哈哈大笑,他告诉凯莉说:"这叫'火车掉头',因为这里是铁路的终点,整个列车无法掉头,所以就只能让火车头掉过来,这样它就能拉着列车车厢再开回去了。"

　　是啊,他们就得这样做才能开回去,不过罗拉以前从来没有想过这一点。她现在总算明白为什么爸总说,他们是生活在一个精彩的时代。爸说,历史上从来没有出过这么多奇迹,她们才花了一上午就走完了马车要走一个星期的路程,而且罗拉还看到了火车头这个大家伙怎么掉头,然后再去跑完下午的路程,那又是一段相当长的距离。

　　就在那个时刻,罗拉都希望爸也是一名铁路工人,因为铁路真的太神奇了! 同样的,铁路工人也非常神奇,他们能够开着巨大无比

火车头前进,后面拉着长长的列车车厢飞速前进,还能拉响汽笛声!
当然了,也不是说所有的铁路工人都比爸要更好,而且她也不想让爸
变成别人。

在这个站台的附近,还有一条铁轨,正停了一列装满了货物的列
车。搬运工干得热火朝天,都忙着把车厢里的货物搬出来放到马车
上。突然,所有的工人都放下了手里的工作,纷纷跳下马车或车厢,有
的工人开始兴奋地大喊,还有个高个子的工人唱起一首歌,正是妈最
喜欢的那首赞美诗的曲调,不过歌词却完全换了。他这样唱的:

嗨,就在这附近呀,
有一间寄宿的房子,
那里天天三顿饭都是,
煎火腿和煎鸡蛋!

嗨! 寄宿的人们都在欢唱,
因为晚餐的铃声响叮当!
嗨! 煎鸡蛋香味飘过来,
每天都有三顿饭!

就这样,那个高个子年轻人唱着这首奇怪的歌跑了过来,其他人
都附和着唱。当他们看到妈的时候突然停了下来,都感到很不好意
静地走着路,抱着葛丽斯,另一只手牵着凯莉。就连刹车员
他对妈说:"太太,我们快点走吧,工人都饿了,旅馆就要

了那家旅馆,就在一条不算长的小街上,位于几家店

铺的后面,小路上有一块招牌,上面是"旅馆"两个字。一个男人手里拿着一个摇铃站在招牌的下面,摇铃不停地响着,能传出去很远。很多工人穿着大皮靴大踏步地走在街道上,扬起了很多灰尘,然后他们又走上木板铺成的人行道上,发出巨大的声响。

"天啊,罗拉,这个旅馆听起来乱糟糟的,现实情况是不是也这样啊?"玛丽惊恐地问道。

"哦,你别担心,看起来并不是那么混乱,"罗拉说,"这只是一个小镇,而且那么多男人走过来,难免声音会大一些。"

"可是听上去真的好乱啊!"

"现在我们到了旅馆大门了。"罗拉说。

刹车员带着她们进去,同时拿着她们的旅行包放到地板上。不过这里的地板可不算很洁净,四面的墙都贴有灰色的壁纸,还贴着一张年历,画里有一个漂亮的姑娘站在好看的金黄麦田里。进入旅馆的人们都走入了一道敞开的门里,那里面是一个很大的房间,一张可供很多人用餐的长餐桌摆在里面,上面铺着白色的桌布,餐具也摆好了。

"太太,我们为您和女孩子们准备了座位,"那个摇铃的男人对妈说着,提起她们的旅行包放到了柜台的后面,"也许您愿意先梳洗一下?"

于是,他领着她们去梳洗,来到了一个很小的房间,里面有一个洗脸台。洗脸台上是一个很大的白色瓷盆,里面放了一个瓷水罐,墙上有卷筒式的毛巾。妈先倒了一些水,拿一条干净的手绢浸湿,然后给葛丽斯擦擦小脸和双手,接着在水里洗一下,然后给自己擦了脸和手。接着,妈把瓷盆里的水倒进洗脸台旁边的桶里,又换了一些干净的水让玛丽洗脸,接着是罗拉洗脸。坐了一个上午的火车,脸上布满了灰尘和煤烟熏过的痕迹,现在用清凉的水来洗干净,感觉舒服多了。她们洗脸之后,瓷盆里的水也变脏了,她们每个人只有一点点水可以用,因为大水罐里很快就没水可用了。等罗拉也洗了脸,妈就拿起水罐放进瓷盆里,然后让罗拉她们挨个在卷筒式的毛巾上擦干脸。这种卷筒式的毛巾非常便利,毛巾两端缝在一起,可以绕着卷轴转动,每个人都可以换个干爽的地方来擦脸擦手。

等梳洗完毕后,她们就要进入餐厅吃饭了!罗拉既期待又害怕,不敢走进那个大房间去,她知道妈也在犹豫,因为要面对那么多陌生人真是很难为情啊!

妈对着她们嘱咐道:"孩子们,你们看起来又干净又漂亮,进去吃饭的时候千万要记得餐桌礼仪。"罗拉她们都点头表示记下了,妈就抱着葛丽斯第一个走了进去,然后是凯莉,罗拉扶着玛丽走在后面。她们走进餐厅的时候,里面吃饭的嘈杂声比起刚才已经变小了很多,不过人人都在埋头吃饭,几乎没人看她们。妈在里面走了好一会儿,终于找到了空的座位,然后她们都在长长的餐桌前坐了下来。

白色的桌布铺在餐桌上,在一盘盘的蔬菜和肉上面都盖着一层纱罩,上面有着跟蜂窝一样密密麻麻的孔。在纱罩的下面,还有很多盘黄油、面包、蔬菜沙拉,还有很多罐蜜糖和奶油,几个小碗放着砂糖。在每个座位前都有一个盘子,里面装着一大块馅饼。纱罩上有很多苍蝇在飞,有时还落下来,不过它们是无法爬到食物上去的。

坐在餐桌旁的人们都客气地传递着食物,装满了食物的盘子从餐桌上一一传过去,谁想吃什么就留下什么。当盘子传到妈的手里时,妈总会客气地道谢,其他人就会轻轻地回答"乐意效劳,夫人"。有个女孩给妈端来了一杯咖啡。

罗拉帮助玛丽把盘子里的肉切成小块,然后帮她在面包上抹好黄油,这样玛丽就能使用刀叉来吃东西了,她非常灵巧,没有把食物洒在外面。

　　但是这么丰盛的一顿午餐,她们却没有吃下多少东西,因为她们实在太兴奋了。要知道,这顿饭花了二十五美分呢! 餐桌上放满了各种好吃的东西,想吃什么都可以,不过她们却草草地吃了一点儿而已。坐在餐桌其他位置的工人们只用了几分钟时间,就吃光了盘子里的馅饼,还吃了很多其他的食物,他们都离开了餐厅。刚才为妈端咖啡过来的女孩开始收拾碗盘,然后放进厨房里去。她身材高大,有一张宽宽的面孔和黄色的头发,说起话来十分温柔:"夫人,你们一家人是不是去西部申请一块放领地啊?"

　　"是的。"妈回答。

　　"您的丈夫是在铁路上工作吗?"

　　"是的,"妈说,"他下午会来这里接我们。"

　　"噢,是这样啊,"女孩说,"我有点惊讶你们现在这个时候来这里,其他的人家几乎都是春天才过来。您的大女儿是个盲人,对吧? 我很遗憾。这样吧,办公室的旁边就是会客厅,如果你们想休息一下的话,我可以带你们去那里坐坐。您下午可以一直待在那里,直到您的丈夫来接你们。"

　　她们来到会客厅,地板上铺着地毯,墙壁上贴着花朵图案的壁纸,椅子上铺着红色长绒毛的坐垫。妈坐下来,轻轻地舒了一口气。

　　"葛丽斯长大了,都变重了呢! 好了,孩子们,你们都坐下歇歇吧,不过不要吵闹。"

　　凯莉坐在妈旁边的椅子上,玛丽和罗拉坐在沙发上,大家都没有说话,因为葛丽斯得睡个午觉。

　　会客厅的正中放着一个茶几,上面放着一盏铜质底座的台灯。茶几的桌腿有了优美的弧线,最下面装着玻璃球。有着美丽花边的窗帘

在窗户的两边垂着,罗拉透过明亮的窗户望出去,可以看到外面的草原和一条能通到这里的路。说不定爸就是从这条路来接她们,要是这样的话,她们就会走这条路离开这里。一直走到路的尽头,在一个罗拉怎么看也看不到的地方,他们会住在一块新的放领地上。

其实,罗拉最心底的想法是不在任何地方停留,她就想一直走下去,沿着这条未知的路走,不管它到底通向何方,她想一直走到尽头。

这个下午过得非常漫长,她们一直留在会客厅里安静地休息,葛丽斯睡了一个长长的午觉,凯莉也睡了一会儿,妈也打个盹儿。最后罗拉看到一些人和一辆马车出现在那条路上,这个时侯太阳已经西沉。刚开始他们只是一些小小的黑影,后来就越来越清晰,他们也就越走越近了。葛丽斯也醒了过来,她们都在窗边向外看。终于,马车变得和平时一样大了,她们认出那就是爸的马车,爸来接她们了!

不过因为她们在旅馆里,不能跑出去迎接爸。但是爸很快就走了进来,对着她们大笑着说:"嗨,我的姑娘们,你们好吗?"

第五章　铁路的营区

　　第二天清晨,罗拉一家早早地就坐着马车出发了。葛丽斯跟着爸妈坐在前面的座椅上,玛丽、罗拉和凯莉坐在一块放在马车里的木板上,玛丽坐在两个人的中间。

　　尽管坐火车速度很快,而且很新潮,不过罗拉还是喜欢坐马车出门。这次的旅程很短,一天时间就到了,所以爸也没有给马车罩上篷子,罗拉就能融入大自然了,头顶是蓝天白云,周围是无边无际的草原,一栋栋小屋散布在期间。马车走得很慢,这样罗拉就能尽情地欣赏周围的事物,可不像坐火车那样什么都看不清。而且,一家人还能舒舒服服地聊上一天。

　　马蹄子发出咔哒咔哒的声音,车轮也有点吱嘎声,除了这些之外,就没有什么声音了。

　　爸对大家说,海逸姑父带人完成了第一个工程合同,现在正迁移到另一个更西边的地方去。工人们都已经搬走了,多西娅一家还留在那里,还有一些赶马的人留在那里,他们再过几天就拆了木棚屋子,然后运着木材也搬过去。

"我们也会跟着搬过去吗?"妈说。

"是的,过几天我们也会跟着过去。"爸说。现在爸没有申请到放领地,只能到更西边的地方去寻找合适的地方。

马车一直沿着昨天看到的那条笔直地穿过草原的路前进,沿途的风景都十分平淡,罗拉觉得没有什么东西值得给玛丽描述一下。路的两边都是一些因为修铁路路基而翻开的新鲜泥土,周围的草原和上面的房子都和梅溪那边的差不多,就是房子显得新一点、小一点。

刚刚出发时的那种兴奋劲已经过去了,罗拉觉得坐在这块木板上好颠簸,马车一直摇晃个不停,木板又很硬,所以感觉十分不舒服。时间也过得非常慢,罗拉看着太阳一点点爬起,心里升起不耐烦的感觉。凯莉瘦瘦的小脸脸色苍白,她轻轻地叹了一口气。但是罗拉不能帮助凯莉,因为她俩都得坐在颠簸得厉害的木板两端,让玛丽安全地坐在她俩中间才行。

慢慢地,太阳升到了头顶,爸在一条小溪边吆喝着马停下来,罗拉她们都下车休息,能静下来的感觉真是太好了。小溪在欢快地唱着歌,爸给马准备好燕麦让它们吃,妈在草地上铺好一块布,把午餐拿出来摆在上面。今天的午餐有黄油面包和白水煮蛋,妈拿出一个纸包,里面装着椒盐,可以拿鸡蛋蘸着吃。

中午休息的时光一会儿就过去了,爸牵着马去喝水,妈和罗拉就收拾了一下草地上的垃圾,捡起鸡蛋壳和面包屑,让草地保持清爽的状态。然后爸牵过马套上车,让大家上车,好赶快赶路。

罗拉和凯莉都希望能在车下溜达一下,不过她们没有提这个要求,因为玛丽走得不快,肯定跟不上马车,她们又不能把玛丽一个人丢在马车上。姐妹俩都是这么想的,她们就默默地扶着玛丽上车,然后一左一右地坐在她的旁边。

下午过得尤其漫长,简直比上午还无聊。罗拉说:"我还以为我们是去西部呢!"

"我们就是要去西部啊!"爸惊讶地回答。

"我以为西部肯定会有什么不一样的地方。"罗拉这么解释说。

"嗯,等我们到了有人居住的地方,你就能看出不同了!"爸说。

凯莉忍不住叹了口气,说:"好累啊!"不过她意识到之后马上就坐直身子,说:"其实也不是特别累。"凯莉并没有抱怨什么。

真的,这一点小小的颠簸真不算什么,她们以前坐着马车从梅溪去小镇的时候,就有两英里半的路程,她们从来不在意马车上这小小的颠簸。但是这次的路程实在太长了,太阳还没有升起她们就出门了,太阳升起到了中午,然后又从中午要一直坐车到太阳下山,她们都觉得有点吃不消这样的颠簸。

太阳慢慢地落下,天色昏暗下来,马车还在向前走着,车轮在道路上转动着,硬木板还在传来一阵阵颠簸的感觉。一颗颗星星出现在夜空,风变得冷硬起来。罗拉她们都累得要命,要是能在那块不停颤动的硬木板上睡着的话,她们都会很快睡着的。已经很长时间没人说话了,又过了一会儿,爸说:"你们看,那边是一间草棚里射出的灯光!"

果然,罗拉看过去,发现有一点光亮在漆黑的夜里格外显眼。那一点光亮还不如天上的星星更亮,不过星星看起很冷,那一点光亮却是温暖的。

"玛丽,前面有一点很小的光亮,是黄色的,"罗拉说,"它在很远的地方闪烁着光彩,让我们鼓足勇气赶过去。我们继续前进,很快就看到房子和人了。"

"还有热腾腾的晚餐呢!"玛丽说,"多西娅姑姑肯定会为我们准备好晚餐的。"

渐渐的,那一点闪亮的光变大了,光线也变得稳定,发出一圈圆形的光晕。等他们又走了很长一段路,光线变成了四四方方的方形。

"现在就能看出那是从一扇窗户里发出的灯光了,"罗拉对玛丽说,"那是一间很长的矮房子,旁边还有两处这样的房子,目前我就能看到这么多。"

"整个营区就只剩下这些了。"爸说,他吆喝着马停下。

马车戛然而止,颠簸和摇晃也一下停下来了,罗拉她们感到身体一阵轻松。现在一切都静止下来,一片黑暗和安静包围着她们。接着,房门被打开了,一道光线传了出来,同时还有多西娅姑姑的说话声:"卡洛琳,孩子们,快进来! 查尔斯拴好马也快进来,晚餐都准备好了!"

罗拉的身体都快被冻僵了,黑暗里浮动着无数的寒冷空气,玛丽和凯莉也动作笨拙,慢慢地爬下马车,打着哈欠步履蹒跚地走进了房子。屋子是长形的,一张长桌子上摆着一盏油灯,四周的墙壁是由粗糙的木板钉成的。不过屋子里十分暖和,炉子上热着晚餐,传来阵阵香味。多西娅姑姑说:"琳娜和简恩,你们不想跟你们的表姐妹们打声招呼吗?"

"你们好!"琳娜说。

"你们好!"玛丽、罗拉和凯莉回应道。

简恩是一个十一岁的小男孩,而琳娜是一个比罗拉大一岁的女孩,她有一双炯炯有神的黑色眼睛,还有一头乌黑的卷发。她的刘海短短的,头顶上的头发是卷卷的大波浪,到了辫子的末梢又变得很平滑。罗拉很喜欢这位表姐。

"你喜欢骑马吗?"琳娜问罗拉,"我们有两匹黑色的小马,平时就骑它们玩,我还会赶马车呢! 但是简恩不能赶车,他年纪小,爸不允许他碰马车,但是我就没有问题。明天我就会赶着马车去洗衣服,你可以跟我一起去。你想去吗?"

"当然想去!"罗拉说,"不过妈得同意我才能去。"罗拉好困啊,没有精力询问她到底怎么赶马车去洗衣服,吃晚饭的时候罗拉差点就睡着了!

海逸姑父是个胖胖的男人,他很好相处。多西娅姑姑激动地说起话来,而且语速很快,海逸姑父想让她先冷静一下,不过他每一次打断她之后,她都会更快更生气地说着。因为多西娅姑姑实在太生气了,海逸姑父辛苦地工作了一整个夏天,结果却什么都没有得到。

"整个夏天,他都在拼命地工作,把自己当成了一个自动敲钉子的机器那样干,"多西娅姑姑大声地说着,"他还赶着自己家的马车去工地干活儿,我们舍不得吃喝,拼命地干活,结果呢! 现在工程结束了,公司却说我们还欠他们的钱! 难道我们辛苦地做了足足一个夏天,居然还欠他们的钱? 他们就是这么说的! 最受不了的是,他们居然还想让我们接着干别的工程,而海逸居然也应下来了! 这就是他出的好主意,他居然答应了!"

海逸姑父又一次想让多西娅姑姑冷静下来,罗拉摇摇欲睡,努力让自己保持清醒。她觉得眼前的一张张面孔都在晃动,所有的声音都交织在一起,分不清楚了。突然,罗拉向下一低头,她猛然醒了一下,接着又是这种状态。晚餐之后,罗拉摇晃着走过去想去帮忙洗碗,不过多西娅姑姑没有用她,让她赶快和琳娜一起去睡觉。

不过她们不能睡多西娅姑姑的床上,根本就躺不下了,简恩也同样不能睡在那里。简恩准备去和工人们睡在工棚里,而琳娜对罗拉

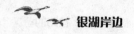

说:"来吧,我们去工作帐篷里睡觉!"

她们出了房子,罗拉觉得外面一片空旷,黑暗中充满了冷冽的空气。琳娜说的工作帐篷在一个低矮黑暗的地方,在星光的照耀下好像一个幽灵一般,周身散着冷峻的光线。它离温暖的房子很远。

帐篷里非常空,脚下就是青青的草地,一块毛毯铺在中间。帐篷的顶子是尖的,是由帆布围裹而成。罗拉觉得很失落,她其实并不讨厌在篷车里过夜,但是睡在地上就难说了,而且还是陌生的一块土地,爸妈又不在身边。罗拉很想去找爸妈。

不过琳娜却觉得睡在帐篷里很酷,她一下就躺到毛毯上,罗拉也随着躺下了,她问:"我们不用脱衣服吗?"

"为什么还脱衣服?"琳娜说,"要是脱了明天早上还得穿上,而且我们也没有被子盖。"

于是罗拉就在毯子上睡熟了,突然一阵狂野尖锐的声音从外面传来,罗拉一下就惊醒了!在那无边无际的黑暗中,到底是什么东西发出这么尖利的声音呢?那不是印第安人的吼叫,也不是狼嚎,罗拉听不出来是什么声音,她吓得心脏都要停了。

"我说,你可吓不着我们!"琳娜大喊着,然后对罗拉说,"是简恩,他想吓住我们。"

简恩又在外面一声怪叫,琳娜吼道:"走开啦,你这个乳臭未干的小孩儿!我就是在森林里长大的,难道还会害怕猫头鹰的叫声啊?!"

"哈哈!"简恩大笑两声,接着外面就变安静了。罗拉又再次迷糊地睡着了。

第六章　骑马驰骋

　　罗拉眼前一片明亮,一下醒了过来,原来阳光透过帆布照了进来。琳娜也睁开了眼睛,两人对视一下,顿时放声大笑。

　　"嗨,我们快起床去洗衣服吧!"琳娜大叫着跳了起来。

　　因为她们睡觉时根本没脱衣服,现在也就省事了,她们叠起毯子就可以出去了。两个小姑娘蹦蹦跳跳地跑进了辽阔的草原中,清晨的微风吹拂着她们。

　　小屋在阳光的照耀下显得很远很小,罗拉她们来时走的那条路横贯东西,同方向的还有铁路的路基。罗拉向北方望去,小草在晨风中摇摆,灰色的绒毛种子被随风吹走。远处有个人正在拆一件木屋,旧木板被一一拆下,发出了吱嘎吱嘎的声音,罗拉觉得听起来很舒服。有两匹黑色的小马就拴在木桩上,正在悠闲地吃着草,晨风吹过,黑色的鬃毛和尾巴扬了起来。

　　"咱们先去吃早饭,来吧,罗拉!"琳娜说。

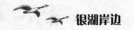

进屋之后，罗拉看到多西娅姑姑正在煎松饼，而其他人都已经坐在餐桌旁开始吃早饭了。

"喂，你们这两个赖床的小家伙儿！赶快去洗脸梳头，然后去吃早饭。今天你们可没有帮我做早饭啊，懒姑娘！"多西娅姑姑开心地笑着说，还轻轻地拍了一下琳娜的屁股，她今天心情很好，就跟海逸姑父一样容易相处了。

这顿早饭吃得很愉快，爸发出了开心的笑声，像洪钟一样响亮。不过早餐之后需要洗的碗盘叠在一起，好像一座小山那么多。

琳娜无所谓地告诉罗拉，这些碗盘根本就不算什么，要知道她一直以来都在做的事情——每天都要洗三餐之后的碗盘，每一餐都有四十六个男人吃饭，而且她还要负责帮忙做饭！琳娜和多西娅姑姑每天早早地起床干活儿，一直干到天黑还是忙不完，所以多西娅姑姑只能好把衣服给别人洗。罗拉第一次知道，衣服还可以请别人洗的，这是之前她从来没有想过的事情。多西娅姑姑把衣服包给附近一个放领地的农夫妻子，她住在三英里以外的地方，所以琳娜和罗拉得赶着马车来回走六英里。

罗拉跟琳娜一起搬着马具去了马车旁边，然后牵过两匹温顺的小马，把马具套好，拉到马车的跟前套好。她们上了马车，琳娜握住缰绳。罗拉羡慕地看着她，因为爸从来不让罗拉驾驭马车，他总说她还太小，没有足够的力气来拉住那些马。琳娜刚握住缰绳，两匹小黑马就感觉到了，它们欢快地跑了起来。马车轮子飞快地转动着，罗拉觉得非常惬意。小风扑面，鸟儿在四处放声歌唱，有时还从天空中俯冲下来，掠过草尖又冲上高空。小马欢快地跑着，拉着马车越跑越快，罗拉和琳娜快乐极了！

一会儿，罗拉看到两匹小马相互碰碰鼻子，又轻轻地嘶叫了一声，开始迅速向前奔跑,马车的速度一下就又快了很多。

　　罗拉坐着的座位都快被甩掉了,遮阳帽也被掀开了,幸好系着帽绳,帽子挂在了脖子的后面,随着风飘着。罗拉并不感到害怕,她紧紧地抓住座位的边缘。小马还在伸展身体,全力向前飞奔。

　　"它们跑得太快啦!"罗拉喊着。

　　"让它们尽情地跑吧!"琳娜大喊着,手里还用缰绳抽打小马,"这里一片平坦,它们什么都不会撞到的! 驾! 驾驾! 哎呦!"她大声吆喝着这两匹马。

　　小马黑得发亮的鬃毛和尾巴都随着风飘了起来,马蹄子踏在地上格外欢快,带着马车奔驰在广阔的草原上。罗拉看不清身边的景色,它们都飞快地退过去了。琳娜还大声唱起了歌:

　　　　有一个英俊的小伙子,
　　　　噢,你可要当心他!
　　　　他会说很多甜言蜜语呀!
　　　　噢,你可要当心他!

　　罗拉从来没听过这首歌,不过她很快就学会了,跟着琳娜一起唱那短短的几句重复歌词。

　　　　亲爱的姑娘啊,你们要当心!
　　　　这个小伙子只是在哄你开心,
　　　　他的话没有几分真情,
　　　　噢,你可要当心他!

"呦呦！驾！驾驾！"她们齐声吆喝着小马，小马正在用最快的速度向前跑着，根本不能再跑快一些。琳娜又唱了一首歌：

我讨厌嫁给一个农夫，
农夫只会土里刨食！
我想要嫁给一个铁路工人，
他穿着条纹衬衫！

哦，潇洒的铁路工人，
我要嫁给铁路工人，
我要嫁给铁路工人，
做一个最幸福的新娘子！

唱完了这首歌之后，琳娜想要两匹小马稍稍休息一会儿，于是她收紧缰绳，小马就放慢了脚步，一会儿就改成慢慢地走了。罗拉又能悠闲地看着周围的景色了。

"我真想试试驾车，"罗拉说，"我一直都很想试试，不过爸总是不允许。"

"你可以试试啊！"琳娜说。

就在这时，两匹小马又碰碰鼻子，一声嘶叫后开始了奔跑。

"咱们回来的时候，你来驾车好了！"琳娜对罗拉说。然后她们接着唱着歌，吆喝着小马快跑，在无边的草原上飞快地疾驰而过。琳娜总是适时就让小马休息一会儿，然后再跑，这样没过多久，她们就到了目的地——那栋有点简陋的小屋。

这间小屋很小，是用木板钉成的，屋顶已经倾斜向一边，看上去有

半间房子已经塌了似的。屋子后面的一个麦堆倒比小屋还大一些,那
里有几个人正在用打麦子的机器来脱麦粒,机器发出了巨大的噪音。
农夫的妻子走出来到马车旁,把车上的脏衣服搬下来。她光着脚,身
上的皮肤在阳光的照射下,显得非常干燥粗糙,好像皮革一样。而且
她也没有梳头洗脸,衣服也是皱巴巴地裹在身上,还有点脏乎乎的。

"我现在这个样子,希望你们别介意,"她说,"是这样,我女儿昨
天结婚了,我一直都在忙着,而今天早上又来了那些打麦子的人,而且
我还得洗衣服,所以没时间收拾自己。今天天还没亮我就起来干活
了,到现在只是刚刚开了一个头而已,现在也没有女儿可以帮我了。"

"您的意思是说莉兹结婚了吗?"琳娜不可置信地问道。

"是呀,她就是昨天结婚的,"这位母亲骄傲地说,"虽然莉兹爸说
她还太小,只有十几岁,不过能找到一个好男人就不要耽误。我的意
思是早点结婚挺好的,我自己也很小就结婚了呢!"

琳娜和罗拉都面面相觑,不敢相信这是真的。在她们回家的路
上,她们好久都陷入了沉默,各自想着心事,但是一会儿又同时说起
话来。

"唉,她的年纪就比我大一点啊!"罗拉说。

"而且,我还比她大一岁呢!"琳娜说。

她俩相互看了一下,眼中都闪着害怕的眼神。不过琳娜很快就摆
脱了这种状态,她潇洒地甩甩黑头发,说:"莉兹真是太傻了! 她再也
不能过小姑娘的生活了!"

"她也不能再玩了!"罗拉说。

就连两匹小黑马也受到了她们情绪的影响,显得非常沉重。但是
过了一会儿,琳娜又说,莉兹可能会轻松一些,不像原来那样每天都有
繁重的活计等着她。"而且啊,她现在能在自己的家里做事情,以后还

会有自己的小孩呢！"

"是啊，"罗拉说，"我也想要一栋属于自己的房子，而且我也喜欢带宝宝，而且干活儿也难不倒我，不过，我就是不愿意还要担那么多责任。我愿意让爸妈多担几年的责任。"

"还有啊，我不想在一个地方安居，"琳娜说，"我想我不会结婚的，只想四处流浪。要是哪天我准备结婚的话，我肯定会嫁给一个铁路工人，永远都向西部走。"

"嗯，让我来试试驾车，好吗？"罗拉问道，她想赶快结束这个话题，她真不想长大啊！

琳娜递给她缰绳，说："你只要拉好缰绳就可以了，它们都认识回家的路。"就在这时，两匹小马又碰碰鼻子，随着嘶叫起来。

"啊！罗拉，快拉住它们！"琳娜大叫着。

罗拉双脚用力地踩着马车，使出吃奶的尽头拉住缰绳。不过这两匹小马并没有什么恶意，它们只是想随着风一起奔跑，它们只是在做自己想做的事情。罗拉驾驭着它们，嘴里喊着"呦呦！驾！驾驾！"

马车里还有一篮洗好的衣服，不过她们早就把它忘在脑后了。在回去的路上，她们开心极了，又唱又叫。小马也像来的时候一样，一会儿奔跑，一会儿慢走，很快就回到了小屋那里。她们卸下马车，把小马拉到一旁去休息，回来后才发现有几件洗好的衣服掉到马车座位下面了。

她们都觉得这是自己的过错，赶快把衣服捡起来重新抚平，然后搬着那篮衣服进了屋子。多西娅姑姑和妈都在忙着准备午餐。

"你们今天好乖啊！"多西娅姑姑说，"是不是做了什么坏事啊？"

"我们没有啊，就是驾着马车去取洗好的衣服了。"琳娜说。

下午的时光比上午还要令人振奋！罗拉和琳娜洗好碗盘，她们就跑出去玩了。她们跑到拴小马的那里，简恩骑着一匹小马在草原上驰骋呢！

"这真是不公平！"琳娜说了一句，她就去解开另一匹小马，那片马已经等得焦急了。琳娜抓住它的鬃毛，飞身上马，小马立刻就跑了出去。

罗拉站在原地，看着琳娜和简恩骑着小马在绕圈奔跑，他们像印第安人一样大喊大叫。他们趴在马背上，双手紧紧抓住小马的黑色鬃毛，双腿紧紧夹住马肚子。小马跑得很快，他们的头发都随着风飘起。小马自由自在地跑着，就好像天空飞翔的小鸟一样欢快，有时还突然掉转方向，无拘无束。罗拉就一直看着他们，都不觉得厌倦。

一会儿小马跑到罗拉身边的时候停下来，琳娜和简恩都下马。"嗨，罗拉，你来骑简恩的那匹小马！"琳娜说。

"谁说让她骑的！"简恩不高兴地说，"你让她骑你那匹马好了！"

"哼，你最好给我老实点，要不然我就去向妈告发你昨晚吓唬我们的事情！"琳娜满不在乎地说。

罗拉伸手抓住小马的鬃毛，但是却没法爬上去，这匹马比她要高大很多呢！罗拉犹豫着说："我不知道我能不能骑，因为我从来没有骑过。"

"我来帮你！"琳娜说着，她抓住那匹小马额头上面鬃毛，然后伸出一只手让罗拉踩上去。

简恩的这匹马简直太强壮了，它几乎每分钟都在长大，那么高大而强壮，几乎都能把罗拉这样的小女孩给杀了。因为马背很高，骑在上面要是掉下来可不是闹着玩的，骨头都会被摔断的。罗拉其实很害怕，她却又想征服这匹马。

她一只脚踩在琳娜的手上，琳娜用力向上一抬，罗拉就已经趴在

了马背上。她把一条腿跨过马背，小马一下就跑了出去。罗拉只感到马背十分光滑而温暖，因为奔跑的原因还在一直不停地晃动，身边的东西都向后退去，她好像听到琳娜在喊："罗拉，抓紧！"

她双手用力抓住小马的鬃毛，用膝盖加紧小马的肚子。不过因为太颠簸，罗拉都觉得头有些晕乎乎的，也不敢向地面上看，因为马背实在太高了。罗拉总觉得自己是在向下掉，不过就在差一点掉下去的时候，她又被颠簸到马背的另一边去了。罗拉的牙齿一直在相互磕碰，她尽量咬紧牙关。琳娜的声音在很远之外的地方传来："罗拉，抓紧！"

接着，罗拉突然感觉变得非常平稳了，就好像平静的水面上那种轻微的波动。这种平缓的节奏通过小马的身体传到罗拉身上，他们在徐徐微风中平缓地奔跑着。罗拉慢慢睁开眼睛，看到草地像水流已经向后面流去。小马黑色的鬃毛飘着，她则双手抓紧鬃毛。他们跑得特别快，不过他们拥有平稳舒缓的节奏，所以根本不会出什么意外。

琳娜骑着马追了上来，罗拉很想问问她，到底该怎么才能安全地停下来，但是她不能说话。她能看到小屋，知道小马是在往回跑呢！紧接着又是一阵颠簸，然后停下来了，她觉得自己还骑在小马背上。

"怎么样？我就说很好玩吧！"琳娜说。

"可是为什么会这么颠簸啊？"罗拉说。

"因为刚才小马是在小跑啊！这样，你别让它小跑，而是大步地跑起来，还要像我一样吆喝着，"琳娜说，"好了，来吧！我们这次跑远一些，好不好？"

"好！"

"那么抓紧啦！现在，我们一起吆喝吧！呦呦！驾！驾驾！"

这个下午真是太激动了，虽然罗拉还摔下马两次。有一次是小马的头碰到了她的鼻子，她流了鼻血，但是她一直都没有松开马鬃。她

的头发也都被颠簸得散开了,嗓子因为大喊大叫而嘶哑了。还有一次是她想在小马奔跑的时候跳上马背,结果却失败了,腿被尖锐的草叶给划破了。真是就差一点点,她就成功地跳上去了,小马很不高兴。

琳娜和简恩都是这样,在小马跑起来的时候再一跃跳上马背。他们几个还进行了比赛,看谁能最快上马,并最快到达某个目标。

　　他们玩得那么开心，就连多西娅姑姑叫他们吃饭都没听到。后来，爸走出来大喊："开饭了！"他们才说说笑笑地走进了房子。

　　当他们进屋的时候，妈看到罗拉的样子吃了一惊，说："我说多西娅，我真不知道罗拉什么时候变得像一个野蛮的印第安人了！"

　　"她和琳娜很投缘啊！"多西娅姑姑说，"自从我们搬到这里之后，琳娜从来没有像今天玩得这么尽兴过。唉，在夏天结束之前，她不能再这么玩耍了。"

第七章　去 西 部

　　第二天,他们就要出发去西部了。一大早,一家人就坐上了马车,马车上的东西根本就没卸,所以也就不用收拾了,一切都准备好,就等出发了。

　　除了他们这两天住的中间小屋之外,整个营地都空荡荡的,什么东西都没有剩下。在已经略泛黄意的草地上,还有在被拆除完的小屋的废墟上,有测量人员正在测量和打桩,他们在准备修建一座新的城镇。

　　"等海逸安排好工程,我们就马上赶过去。"多西娅姑姑说。

　　"好了,我们银湖再见喽!"琳娜大声对罗拉告别。

　　爸吆喝着马前进,马车的车轮就不急不慢地向前转动着。

　　马车上没有蒙上帆布棚,所以一家人都能晒到暖洋洋的阳光,还能感受到习习凉风,非常舒适。草原上四处有人在干活儿,而且还有很多马车在他们身边经过。

他们还没走多久，就看见道路向着一块上下起伏的坡地斜着延伸下去，爸告诉她们，前面不远的地方就是大苏河。

罗拉向玛丽描述眼前的景象："这条路的下面就是很低的河岸，没有树木，广阔的草地无限延长，头顶的蓝天也同样广阔无边，还有一条浅浅的小溪流过。也许它以前也是一条大河，不过河水却慢慢变浅，慢慢干涸了。现在它变得和梅溪差不多了，很细的一条水流慢慢流过一个个水塘，流过满是沙粒的地面，流过干裂的泥土地。咱们的马要停下来喝水了！"

"快喝吧，多喝一点，"爸对拉车的马说，"再往前走，三十英里之内都没有水喝了。"

在这条浅浅的小溪对岸，草地非常低矮，弧形的下坡一个连着一个，这条道路就好像一个短钩子一样。

"咱们走的这条路就在草地上向前，在前面不远的地方停止了，那里就是路的尽头。"罗拉说。

"不会吧，"玛丽提出了不同的意见，"这条路一直通到银湖啊！"

"嗯，是这样的。"罗拉说。

"所以啊，你不应该这么说，"玛丽温和地说，"我们得把自己想要表达的意思说明白。"

"我说的就是我自己理解的意思啊。"罗拉说，但她又不能说明自己所想的。可以用很多方法来观察事物，想要把观察到的东西或感想说出来，也是可以用很多方法的。

马车经过了大苏河之后，他们就看不到田野了，而且也没有房屋和人。到了这边就真的没有路了，只有一条马车走出来的小路。在这里也看不到铁路的路基。罗拉看到草丛里有很多几乎被掩盖住的小木桩，爸告诉她，那是测量工人留下的木桩，是用来标记还没有开工修建的铁路路基。

"这片草原好广阔啊！就好像是一个无限延伸的大牧场，一直能到世界的尽头。"罗拉对玛丽说。

天空万里无云，微风吹过，草丛的草尖随风而动，好像是无边的草浪一样上下起伏。罗拉觉得有一种前所未有的感觉，她无法形容出来，就觉得马车上的一家和拉车的马，甚至是爸，都变得非常渺小，世界变得好大。

这个上午爸一直不停地赶路，沿着那条隐隐约约的小路前进。路上的景色一成不变，而且越往西部走，就显得越空旷，他们也就越显得渺小，而且好像走着走着就会迷失方向一样。一阵风吹过，草浪成片地出现，马蹄声和车轮声一直不变，罗拉坐着的那块木板也一直都那么颠簸。

罗拉想着他们没准会一直走在这个地方，但是这个地方却根本就不知道他们的存在。

唯一有变化的就是太阳，正在慢慢地爬上天空。等太阳升到了头顶，他们就停下来喂马，坐在草地上吃饭、休息。

在颠簸了一上午之后，能安静地坐在草地上，她们都觉得很舒适。罗拉想起从前她们从威斯康星大森林出发，去往印第安地区之后，再去明尼苏达州的路上，他们曾经吃过很多次露营午餐。如今他们在达科地区，去更西边的地方。不过这次旅行不同于以往，这并不是因为马车没有罩上棚罩，也不是因为床上没有铺东西，而是因为别的什么原因，但是罗拉说不清楚这种感觉，这片草原带给她的那种独特的感受。

"爸，"她问，"以后你找到放领地了，会和原来在印第安区那里的土地一样吗？"

爸考虑了一会儿才回答罗拉说:"不一样。这里非常与众不同,但是如果你要我说出到底是哪里不一样,我又说不出来。不过这片草原就是不一样,感觉就不同。"

"这个好理解啊,"妈说,"因为我们正在明尼苏达州的西边和印第安地区的背面,这些植物什么的,肯定不太一样。"

不过这和爸、罗拉心里的感受不同,几个地方的植物几乎没有区别,不过这里有一种别的地方没有的某种气质。就是一种很安静的感觉,让你自身就能安静下来,而且觉得自己就身处于一种宁静的氛围中。

风吹动草丛的声音,马儿轻轻地嘶叫声,还有它们在马车后面的马槽里吃草的声音,甚至罗拉一家吃东西和聊天的声音,这一切加在一起也不能打破这个地方的平静。

聊天中,爸说到了自己的新工作,他会是公司的一个店员,是银湖当地营区的管理人员,他日常的工作就是管理商店,并记录每个工人的赊账数额,最后还要算出每个工人在扣除住所费用和商店的赊账之外,他还能得到多少工钱。在发工资的日子里,出纳员带来大家的工资之后,爸就负责把钱发给每个人。这样,爸每个月能挣上五十美元!

"还不止这些呢!卡洛琳,最棒的事情是我们是第一批来到这里的人,"爸说,"我们能第一个挑选放领地!天啊,我们的运气终于来了!能在新的土地上先挑选放领地,而且在整个夏天每个月都能挣五十美元!"

"查尔斯,这真是太好了!"妈说。

罗拉一家的对话并没有打破这片草原上的宁静。

下午,他们早早地上路了,一直向前走啊走啊,一英里又一英里的路过去了,再也没有看到房子和人。他们只能看到无边无际的草地和头上广阔的天空。那条小路也只能通过一些被压倒的草丛来勉强辨认。

罗拉看到了印第安人留下的小路和一些野牛走过的道路，这些小路陷得很深，如今小路上已经长满了草。罗拉还看到一些奇形怪状的洼地，底部非常平坦，那里原来是野牛喝水打滚的地方，如今也长满了野草。罗拉没有见过野牛长什么样子，爸说她大概也没有机会看到了，因为不久之前还生活在这里的几千头野牛，全都被白人杀死了，它们都是印第安人的牛。

现在，他们走在草原的中央，感觉草原从四面八方向四周延伸，一直到天地的尽头。这一天的风没有停下过，已经有些枯萎的长草随着风的方向跳着舞。整个下午，爸都在一边驾车一边唱歌或吹口哨。他经常唱的一首歌是这样唱的：

嗨呀嗨，大家都快来啊！

别害怕，别慌张，

山姆大叔很有钱，

每个人都会得到一个牧场！

大家都跟着爸一起唱，就连小宝宝葛丽斯都跟着唱起来，不过她可不在乎自己唱得对不对、能不能跟上调子：

嗨呀嗨，大家都快来啊！

别害怕，别慌张，

山姆大叔很有钱，

每个人都会得到一个牧场！

嗨呀嗨,大家都快来啊!

别害怕,别慌张,

山姆大叔很有钱,

每个人都会得到一个牧场!

嗨呀嗨,大家都快来啊!

……

　　此时,太阳已经渐渐西沉,有一个骑马的人远远地出现在马车的后面。他就那么远远地跟在罗拉一家人的后面,也不让马跑起来,就那么一英里一英里地跟着。等到太阳慢慢落山的时候,他就一点一点地加快速度,接近了他们。

　　"查尔斯,从这里到银湖还有多远啊?"妈问。

　　"还有十英里的路程。"爸说。

　　"这附近没有人家吗?"

　　"一户也没有。"爸说。

　　妈就不再接着问了,大家都没有说话,只是不时回头看看那个骑马的人。每次她们看的时候,都觉得那个人逼得更近了。这个人的意图非常明显,他不想催马快跑,他就只想跟着他们,在天黑之前都跟他们保持着一点距离。等天黑之后他想怎么样,谁也说不好。太阳已经要掉下地平面了,天色渐渐暗了下来,很多浅坑的地方都布满了阴影。

　　每次爸回头看那个人的时候,他的手就不自觉地小幅度地抖抖缰绳,催促马跑得快一些。不过一辆满载重物的马车,是不可能比一个骑马的人跑得快的。

　　那个人已经越来越逼近了,罗拉看到他腰里别了两把手枪,帽檐拉得很低,遮住了他的眼睛,一条红色的围巾围在脖子上。

本来爸来西部的时候是带着枪的,但是现在马车里并没有枪。罗拉很想知道枪放到了哪里,不过她没有问爸。

这时候,罗拉向后面一看,只见另一个骑着白马的人赶了上来,他穿着一件红色衬衫。本来他离他们还有很远的一段距离,不过他骑着马飞快地跑过了,很快就赶上了马车后面那个骑马的人。现在,他们两个一起追了过来。

妈轻轻地告诉爸:"现在他们是两个人了,查尔斯。"

"啊,罗拉,怎么回事?"玛丽感到非常害怕。

爸赶快回头一看,然后就放松下来,说:"咱们现在安全了,那个是大个子杰瑞。"

"那是谁?"妈问。

"杰瑞是法国人与印第安人的混血儿,"爸说,"他很好赌,而且据传言说他是个盗马贼。但是我知道他是个好人,他不会让任何人来抢劫我们的。"

妈听了这番话非常吃惊,她看着爸想说点什么,但是等张开嘴之后又闭上了,什么都没有再说。

没一会儿,后面那两个骑马人就赶上了马车,在马车边上走着。爸对那个大个子打招呼:"嗨,大个子杰瑞,你好啊!"

"英格斯,你好。"大个子杰瑞说。另外一个人则恶狠狠地瞪了罗拉他们一眼,然后双腿催马快跑,很快就超过马车,远远地跑到了前面。不过大个子杰瑞却仍然和马车一起慢慢地走着。

虽然爸说他是印第安人的混血儿,不过他长得并不像印第安人,他身材高壮,脸庞瘦削,高颧骨,皮肤呈棕色,穿着一件像火一样红的衬衫。他的黑色长发随着风飘动,因为他没有戴帽子。他座下的那匹白马显得非常自在,因为杰瑞没有给它套上任何的马具,那匹马可以

去它想去的任何地方,但它却一直追随着杰瑞。无论杰瑞去哪里,白马都愿意一同前去,人与马的动作都非常协调,好像他们心灵相通似的。

杰瑞跟着马车走了一会儿,就催马快跑起来,姿势非常优美流畅。罗拉一直注视着他,看到他骑着马跑下一个洼地,然后又跑上来,一直向着西边那轮马上就要落下的红日跑去,火红衬衫的背影和那匹雪白的马慢慢地消失在那片闪耀的光芒中。

　　直到这时，罗拉才深深地吐出一口气，对着玛丽兴奋地说："天啊，玛丽，刚才过去的是一个棕色皮肤的男人，他骑着一匹雪白的马。他个子高高的，有着黑色的头发，红色的衬衫好像在燃烧的火一样耀眼夺目！他一直沿着草地向前跑去，就这么直接跑进了落日里，他们跑进太阳里去了，可以一起环绕世界！"

　　玛丽先沉默了一会儿，然后她说："罗拉，你应该知道他们不可能跑进太阳里去的。他和别人都一样，骑着马在地上奔跑。"

　　罗拉没有辩驳，但是她心里觉得自己没有说错。那匹美丽潇洒的白马和那个瘦高个子的男人一起跑进那片金色的光辉，跑进美丽的太阳里的那一刻已经铭刻在罗拉的心里了。

　　妈依然担心原来的那个骑马人还在前面等着他们，然后打劫。不过爸说："卡洛琳，你别担心了。大个子杰瑞已经跑到前面去找他了，杰瑞知道该怎么办，他会拖住那个人，一直到我们安全地进入营区。大个子杰瑞是个好人，不会让别人来抢劫我们的。"

　　妈听了，回头看看罗拉她们是不是受到了惊吓，然后抱紧怀里的葛丽斯。她没有说话了，因为她怕会说出埋怨的话。罗拉心里清楚，妈从最开始就不愿意离开梅溪，她从来就不愿意来到这个地方，也不喜欢在天黑的时候还在渺无人烟的草原上赶路，甚至身后还有人想打劫他们。

　　天色渐渐昏暗下来，一阵阵响亮的鸟鸣声传来。罗拉能看到一些黑色的影子飞过灰蓝色的天空，直直飞的是野鸭群，好像一个"V"字形的是大雁群。领头的鸟飞在最前面，它发出鸣叫引导着后面的鸟儿，而后面的鸟儿也发出鸣叫来回应。天空中回响着鸟儿们"啾啾！呱呱！"的鸣叫声。

　　"这些鸟飞得真低，"爸说，"它们会在前面的湖上过夜的。"

爸告诉她们，天边的那条不断闪烁的细细银线就是银湖，在银湖的南边还有一点闪烁的光，那里是双子湖——亨利湖和汤普森湖。在双子湖的中间还有一个小黑点，爸说那就是一颗孤零零的白杨树，长得非常高大，是这一片唯一的一棵大树，可以作为坐标。因为这颗树就长在双子湖的中间，所以树根能吸收大量水分，也就长得格外高大。

"我们以后得过去挖一些树苗，种在我们自己的放领地上，"爸说，"在银湖的西北边九英里的地方，还有一个灵湖，现在你们看不到。卡洛琳，你看这是一个多好的狩猎地呀！土地肥沃，湖水秀美，到处都是飞禽。"

"是的，查尔斯，这里真的很美。"妈说。

太阳散发着最后的一点灿烂光辉，慢慢地沉到那片深红色的云层中去了，云层的边缘就发出了金色的光边。一片冷冽的灰紫色慢慢地升起，一点一点地遮住了天空。一颗颗明亮的星星出现在天际，挂在如黑色丝绒的天空中，一眨一眨地发光。

本来白天一直都在刮风，但是太阳下山了，风势也弱了下来。轻柔的风吹过草原的长草，好像在悄悄地诉说着什么。草原一片宁静，大地在夏夜的星空下好像睡着了，发出轻柔地呼吸。

爸驾着马车在星光下向前走，在一片安静的气氛下，只能听到马蹄踩在草地上的声音。罗拉向前看，发现很远很远的地方有几点灯光透出来。爸告诉她，那就是银湖营地的灯光。

"好了，下面要走的八英里路就不需要看路了，"爸对妈说，"我们只要一直向着灯光走就不会错了。从这里到营地的路程中就只剩下平坦的草地，如果非要说还有什么的话，那就只剩下空气了。"

罗拉觉得一天的旅途非常劳累，而且空气充满了寒冷。她看那些灯光总是那么遥远，也许它们根本就是天上的星星。现在抬头一看，夜空里挂满了星星,而且总在不停地眨着眼睛,罗拉觉得它们也在移动,可以组合成不同的图形。马车的车轮压过草地,发出沙沙的声音,周围的长草被轻风吹动,也发出了沙沙的声音。

罗拉觉得有些昏昏欲睡了。突然之间,她睁开了眼睛,因为前面出现一扇打开的门,灯光倾泻而出。在那片耀眼的灯光中,有个人走了出来,是亨利叔叔！他大笑着来迎接他们。罗拉觉得这里肯定是小时候曾经去过的亨利叔叔家的小木屋那里,就是那片大森林里的小木屋,因为亨利叔叔从木屋里走出来了呀！

"亨利！"妈开心地大叫起来。

"卡洛琳,我一直没有跟你说,是想给你一个惊喜！"爸大声说道,"其实亨利已经搬到这里来了！"

"我都要停止呼吸了,这真是一个大惊喜啊！"妈说。

接着一个高个的年轻男人走了出来,笑呵呵地看着他们一家。原来这是堂哥查理,就是那个在亨利叔叔和爸割麦子时不停捣乱、后来被几千只蜜蜂蛰的男孩。查理跟他们打着招呼:"你好啊,罗拉！玛丽！还有小宝宝凯莉,都已经长大了,不再是过去的小姑娘了,对不对呀?"查理说着,扶着她们下了马车。亨利叔叔从妈的手里接过葛丽斯,爸扶着妈下马车。路易莎堂姐也走了出来,跟他们打着招呼,把他们让进屋子里。

路易莎和查理都是大人了,他们在这里为那些修铁路的工人做饭。现在那些人吃过了晚饭,回营地的工棚里睡觉了。路易莎一边和罗拉她们聊着这些,一边把在炉子上热好的晚饭盛在盘子里,端上来给他们吃。

等吃过晚饭后,亨利叔叔就拿着一盏油灯,带着罗拉一家去工人们为爸盖好的小屋里。

　　"这间小屋都是用新木材做好的,卡洛琳,非常新鲜和干净。"亨利叔叔说着,举起油灯让爸妈看看新的木板墙和靠着墙的床铺。小屋的一边放着一张双人床是爸妈睡的,而在另一边有一个高低床是为玛丽、罗拉、凯莉和葛丽斯准备的。现在床都已经铺好了,这都是路易莎堂姐为他们准备的。

　　很快,玛丽和罗拉就舒服地躺在了用新鲜的干草铺好的柔软床垫上,然后盖好床单和被子。这时,爸吹灭了油灯。

第八章　银　湖

　　次日天还没亮,罗拉就起来了,她提着木桶去银湖边的一口井里去打水。这会儿的太阳还没有升起,在湖水的东面,灰白色的天边出现了一轮深红和金色的光晕。那片光芒向南岸延伸过去,把东边和西边比较高一些的堤坝都照得亮了。

　　在西北方向还有点暗暗的。银湖像银白色的镜面一样静静地流淌在那里。就在茂密的荒草丛里,一阵野鸭的叫声从西南边的野草丛里传了出来,那片草丛是大沼泽的源头。很多水鸟仰着清晨的风飞在湖面上,发出了阵阵鸣叫。一只大雁从湖面上一跃而起,大声鸣叫着招呼同伴一起冲向空中。然后一只又一只大雁回应着,从湖面飞向空中一起飞走了。大雁群在空中排成了一个巨大的三角形,它们挥着有力的翅膀,向太阳升起的方向那片灿烂的光辉中飞去。

　　这时候,东边的天际发出道道金光,光芒照射在水面上,水面也变得无比灿烂。

　　然后,太阳就像一个圆圆的金球,一点点地爬上了天空,最后照耀

着大地。

罗拉看了这些美景,深深地吸了一口气,打了一桶水匆匆地赶了回去。昨天他们住的小屋就矗立在湖的岸边,在那些修路工人住的工棚南边。小屋在阳光的沐浴下闪着金色的光,不过屋子太小了,简直都要被那些杂草给淹没了。而且小屋的屋顶向一边倾斜着,看上去就好像只有半个屋顶一样。

"罗拉,我们都等着你打水回来呢!"当罗拉走进屋里的时候,妈说。

"天啊,妈,太阳刚刚升起! 你也应该去看看那种壮观的场面!"罗拉喊着,"太美了,我简直都舍不得离开!"

罗拉一边帮妈一起准备早饭,一边向玛丽和妈讲述刚才看到的美景。太阳从银湖的东边冉冉升起,整片天空都变成了美丽的红色和金色,黑色的大雁群在阳光下从湖面起飞,向着光辉的太阳飞去,还有无数只野鸭掠过湖面,各种水鸟都迎着晨风飞过。

"我在屋里听见水鸟的叫声了,"玛丽说,"那些野鸭太吵闹了! 罗拉,你描述得真好,好像一副动态的画面一样,我甚至都能看到那幅景象!"

此时妈也微笑着,对着罗拉和凯莉说:"好了,我的女孩们,今天我们要有很多工作要忙!"然后,妈为她们都分下了工作。

首先,要打开她们带来的旅行包,然后在中午之前收拾干净小屋。先把路易莎堂姐的被褥晒干松,然后还给她,妈的床垫套里塞进一些新鲜又干净的干草。妈去商店买了几米漂亮的花布,她做成了一副窗帘,挂在小屋的窗户那里,这样就遮住了后面的工棚。妈又用剩下的布料做了另一幅窗帘,挂在两个床铺中间,这样屋子里就算隔出两间卧室了,爸妈住在一边,罗拉她们住在另一边。这间小屋好小啊,帘子紧挨着窗边。不过妈把羽毛床垫和被子都铺好之后,整个小屋看起来非常清爽舒适。

在帘子的前面就是一个小小的客厅,空间非常小,做饭的炉灶就在门边。妈和罗拉搬着折叠桌子,把它放在打开的门前靠墙的地方。玛丽的摇椅和妈的摇椅都放在房间的另一头。小屋还没有铺地板,就是泥土地,还有很多拔不出来的草根,她们已经把地面扫得干干净净了。一阵阵凉爽的风从门口吹进小屋,罗拉看着这间小屋,觉得它已经是自己的新家了。

“这间小屋就只有半边的斜屋顶,也没有窗户,”妈说,“但是小屋的屋顶很结实。我们可以多打开门,让新鲜空气和阳光都从门口进来,这样没有窗户也没什么。”

到了中午,爸回来吃饭的时候看到屋子里的东西都已经收拾整齐,他非常高兴。他摸摸凯莉的耳朵,又一下抱起葛丽斯摇着,不过他这次没有把她向上抛,因为这个屋顶太矮了。

“卡洛琳,你的那个牧羊女瓷像准备放到哪里啊?”爸问。

“我都没有拿出那个牧羊女瓷像,查尔斯,”妈回答,“因为我们只是暂时住在这里,等你申请到了放领地,我们就会搬走啊。”

爸哈哈大笑着说:“我能有足够的时间去选一块最好的放领地!你们看这片草原除了铁路工人之外,就没有其他人了,而且铁路工人在冬天之前也就都离开了。我们可以慢慢地挑选自己喜欢的放领地。”

“我和玛丽要在午饭后出去散散步,”罗拉说,“我们一起去看看那些营地和湖水,还有这里的一切。”她说完,就提了一个水桶,去外面打水。她走得太匆忙,连遮阳帽都忘记戴了。

这时候风已经渐渐变大,天空万里无云,草原上也是一成不变的

平坦,只能看到一点微弱的反射阳光在草丛里闪烁。大风吹来了一些男人唱歌的声音。

原来是修路工人的马车队回来了。工人们排成一列长长的、弯弯曲曲的队伍走着,很多马都套着马具,迈着沉重的脚步并排走着。那些修路的工人们没戴帽子,衬衫的袖子挽着,露出被晒得黝黑的胳膊,他们有的穿着蓝白条纹的衬衫,有的穿着灰色的衬衫,有的穿着灰蓝色的衬衫。所有的工人都齐声唱着一首歌。

他们就像一支准备去往前线的军队,在广阔的天空下穿越一片辽阔的土地,而歌声就是引导他们前进的军旗。

罗拉一直站在那里,看着马车队浩浩荡荡地回到了营区,听着工人一路高歌回到了工棚。他们到了营区后慢慢聚集或分散开来,歌声渐渐停止了,热烈的谈话取代了它。罗拉刚意识到自己是来打水的,她飞快地用水桶打好水,然后跑回小屋去。因为太匆忙了,四溅的水花打湿了她的腿。

"对不起,我实在忍不住想要看那些马车和工人回营区,"罗拉大口喘着气说,"好多工人啊,爸,而且他们都在唱歌呢!"

"好了,我的小瓶子,你先顺过气来再说,"爸笑着说,"区区五十辆两匹马拉的马车和七十五到八十名工人,这只是一个很小的营区而已。你应该去西边的斯特斌营地去看看,那里足足有两百名工人呢!"

"查尔斯!"妈轻轻地打断了爸的话。

在一般的情况下,妈叫爸的名字并打断他说话的时候,大家都知道她是什么意思。不过这次罗拉、凯莉和爸都不明白,他们疑惑地看着妈,想听听妈还要说些什么。不过妈并没有说下去,而是对爸摇了摇头。

然后,爸就看着罗拉说:"你们这些女孩都听好了,你们都要离营

地远一点,平时走路的时候也不要去那些人干活的地方,而且每天都
要在他们回到营地之前就回家来。他们都是一些粗人,所以说话也就
无遮无拦,非常粗鲁,你们尽量少看见他们,尽量少听到他们说话,这
样对你们最好。罗拉你要记住这些,还有凯莉也是。"爸说话的时候,
表情特别严肃,让人不得不乖乖地听话。

"我记住了,爸。"罗拉答应着。凯莉也小声地说她记住了。凯莉
睁大了眼睛,显得非常恐惧。她可不想听到一句粗鲁的话,不管那是
什么样的话。但是罗拉却充满了好奇心,很想听到一些,哪怕就一次
也好,但是她肯定会听爸的话的。

那天下午,她们出去散步的时候就躲开了那些工棚。她们沿着银
湖的湖岸,向大沼泽走去。

银湖在阳光下波光粼粼,湖水慢慢地流淌着。她们走在湖的右
侧,看着轻风吹过蓝色的湖水时,水面荡起的层层涟漪,轻柔的湖水还
在拍着湖岸。银湖的湖岸很低,不过看起来很牢固,而且挺干燥,河堤
长满了小草,一直连接到水边。罗拉从像镜子一样闪闪发光的湖面看
过去,湖的东边和南边都耸立着岸壁,差不多和罗拉一样高。湖水在
东西边连接了一个小小的沼泽地,然后就是那片大沼泽地,完成一个
弧形状向西南方向延伸,沼泽地里长满了高高的野草。

罗拉和凯莉带着玛丽慢慢地在银湖岸边散步,银湖微波荡漾,阳
光在水面上被打碎成一片片金色,缓缓地流向大沼泽的方向。她们踩
着温暖而柔软的草地前进,大风吹着她们的裙子紧紧贴在腿上,玛丽
和凯莉的遮阳帽紧紧地系在下巴上,而罗拉的遮阳帽早就摘下来了,
拿在手中,她的头发随着风舞蹈着。到处都是沙沙作响的草叶,好像
在喃喃自语着,还有成千上万的野鸭、大雁、苍鹭、鹤和塘鹅,风把它们
的"呱呱""嘎嘎"的叫声传得很远。

这些鸟都生活在沼泽附近,它们就以沼泽地里的水生植物和小鱼小虾为生。它们自由自在地拍打着翅膀,起飞又落下,然后四处鸣叫着传达信息,好像在聊天一样。它们不时吃着草根、嫩嫩的草叶和小鱼,快活极了。

她们越往前走,湖岸就变得越低,一直延伸到大沼泽那里就没有湖岸了。整个银湖在这里都融进了沼泽,变成了很多小池塘,被很高的野草包围着。罗拉她们能看到那些小水塘在阳光下闪闪发光,还有很多鸟儿停在上面。

当罗拉和凯莉走近沼泽地之后,那些在草丛里栖息的鸟儿们纷纷拍打着翅膀一跃而起,飞到空中。它们小小的圆眼睛里闪着光芒,都鸣叫着飞到了空中。野鸭和大雁都收起自己带噗的脚在尾巴的下面,它们飞过草丛,然后落在下一个水塘里。

罗拉和凯莉静静地站在草丛里,沼泽地里的野草简直比她们还高,一阵风吹过,野草发出粗糙的摩擦声。她们没有穿鞋的脚丫慢慢地陷入了泥浆里。

"天啊,地上都是一些软泥巴。"玛丽说着,转身就向回走,她不喜欢脚上沾上泥土。

"凯莉,咱们也快回去吧,"罗拉说,"要不然咱们会陷入这些泥浆里的,那些小池塘就藏在草丛里。"

罗拉觉得脚上凉凉的,那些软软的稀泥包围了她的双脚,而闪着波光的小水塘就在前面不远的草丛里。她真想走过去看看,一直走到那些野鸟聚集的沼泽地里。不过她不能丢下玛丽和凯莉不管,于是她就陪着她们走了回去,走到长着青草的湖岸边。在那里,齐腰深的野草在风中点头跳舞,长得很短而卷曲的野牛草东一块西一块地散布生长着。

　　她们在这里采到一些深红色的虎纹百合花,然后在更高一些的地方采到一种枝条很长的紫色豆荚。很多绿色或褐色的小蚂蚱在草丛里蹦蹦跳跳,还有很多小鸟或在天空飞翔,或在柔软的草枝上唧唧喳喳地叫着,几只松鸡在草地上跑过。

　　"啊,好美丽的草原!"玛丽深深地呼出一口气,"罗拉呀,你带着你的遮阳帽呢吗?"

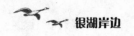

罗拉赶快把遮阳帽戴上,然后轻轻地说:"玛丽,我戴得好好的!"

"哈,你是才刚刚戴上的,我都听到了!"玛丽笑着说。

等她们回小屋的时候,都已经是傍晚了。那座只有半边屋顶的小屋就孤独地矗立在银湖岸边,看起来非常小。她们看到妈正站在小屋的门口,用手遮着眼睛在看她们。她们立刻向妈挥挥手。

这时候,罗拉能看到位于小屋后面的整个营区,就沿着北边的湖岸散落着。先是能看到爸工作的地方——那座商店,然后是一间饲料店,接着就是工人们的马厩。这座马厩盖在草原上一处高高突起的地方,屋顶上盖着沼泽地里的野草。在马厩旁边的就是工人住的工棚,再远一些的地方是路易莎堂姐的那间食堂,看来她们已经在准备晚饭了,烟囱上正冒着袅袅炊烟。

然后,罗拉又看见了一栋房子,那可是一栋真正的房子,就独自矗立在湖的北岸。

"我想知道那是谁住的房子,是做什么用的?"她说,"看起来它不像垦荒者的房子,因为旁边没有马厩,周围也没有被开垦过的土地。"

然后她把自己的发现都描述给玛丽,玛丽说:"这里真漂亮,有新建造的干净小屋,还有草地和湖水。罗拉,你说的那所房子,你可以问问爸是怎么回事,要不然你猜测半天也没有用啊。啊,你听,一群野鸭正飞过来。"

空中有很多野鸭都在飞,还有排成一条线的大雁,也准备从空中飞到湖面上过夜。工人们已经收工了,一阵很大的嘈杂声传了过来。

妈就站在小屋门口,等着她们回来。她们在风中回到家里,带着满身的新鲜空气和温暖的阳光回来了。罗拉给妈带回很多虎纹百合花和紫色的豆荚。

凯莉把这些美丽的花插到一个水壶里,罗拉帮妈一起布置晚饭。

玛丽坐在自己的摇椅上,抱着葛丽斯,给她讲着大沼泽里的野鸭是如
何鸣叫的,还有那些准备在湖面上过夜的大雁。

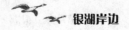

第九章　偷马的人

　　有一天吃晚饭的时候,爸表现得异常沉默,只有在别人问他问题的时候才偶尔说话,显得心事重重的。"查尔斯,你哪里不舒服吗?"妈问。

　　"没有啊,我很好,卡洛琳。"爸回答。

　　"那有什么事情吗?"妈接着问。

　　"倒也没什么事情。就是那些工人们都在相互传着话,说今天晚上要抓出盗马贼来。"

　　"那是海逸应该操心的事情,"妈说,"我希望你别插手。"

　　"不要担心,卡洛琳。"爸说。

　　罗拉和凯莉都相互看了一眼,然后又一起看着妈。妈先是默默地吃饭,过了一会儿又轻轻地说:"查尔斯,我希望你不要插手这件事情。"

　　"是这样,"爸说,"大个子杰瑞一个星期之前来到了营区,现在他走了。那些工人们都说杰瑞是和盗马贼一起的,因为每次都是杰瑞过来之后,营区里最好的马就会被人偷走。他们觉得杰瑞就是来这里暗暗挑选出最好的马匹,然后弄清楚马厩的位置,接应那些盗马贼过来,在深夜偷走那些马。"

"我以前就一直听别人讲不能相信那些混血儿。"妈说。她很不喜欢印第安人,所以哪怕是印第安的混血儿她也同样排斥。

"不过我们要记住,要不是那个印第安人,我们在弗德格里斯问的时候就会被人杀掉了。"爸说。

"不过要不是有那些印第安人的话,我们根本也就没有这样的危险了,"妈说,"那些野人,居然把刚刚剥下的臭鼬皮围在腰上,简直太恶心了!"妈皱着眉头,好像又想起了臭鼬皮的味道,发出了厌恶的语气。

"我觉得杰瑞并不是那个盗马贼。"爸说。罗拉觉得爸其实并没有太大的肯定,只是希望事情真的如他所说的那样发展。

"杰瑞总是在发工资的第二天就来到营区,跟那些工人玩牌,赢走他们口袋里所有的钱。这才是真正的原因——那些工人想置他于死地的原因。"爸说。

"我真奇怪海逸为什么会允许工人们耍钱,"妈说,"我看唯一能和酗酒一样糟糕的事情,就是赌博了。"

"卡洛琳,这全凭工人的自愿。如果他们不想赌钱的话,是没人逼迫他们的,"爸说,"要是杰瑞赢走了他们的钱,那也要他们自己负责,而不是把所有的帐都记到杰瑞的头上。杰瑞是个好心肠的人,真的,我没见过比他更好心的人了。在寒冷的时候,他宁愿自己冻着,也要脱下衣服给别人穿。还有,你看看他照顾老强尼是多么用心!"

"你说得对。"妈承认杰瑞的心地很好。老强尼是一个挑水工人,

他个子矮矮的,早就弯腰驼背了。他在铁路上工作了一辈子,现在已经变得非常苍老,干不了什么活儿了。公司就让他每天给工人送水喝。

每天的早饭和午饭之后,老强尼都会去井边打上两桶水,然后用一根扁担扛在肩膀上,慢慢地弯下腰,用扁担两头的铁链子上的铁钩子勾住水桶,然后吃力地站起来。随着他起身,两桶水也随着离地了,老强尼用一只手扶着木桶,肩膀吃着两桶水的重量,然后勉强地向前走着。

在每个水桶里都放有一个长长把柄的勺子,老强尼就去工地上,沿着工人们做工的路线走过去,这样口渴的工人就会自己用勺子喝水,不用停止手里的活计了。

老强尼已经非常苍老了,弯腰驼背,身体萎缩成一小团。他的脸如同核桃一样布满了皱纹,不过蓝色的眼睛里依旧闪着光芒。他尽力快一些走,这样就能让每一个口渴的人都能喝到水。

有一天早饭前,大个子杰瑞走到罗拉家门口对妈说,老强尼已经整整一夜不舒服了。

"太太,他那么瘦小,又那么苍老,"杰瑞说,"工人食堂里的饭菜他都嚼不动了。您能给他准备一些热茶和早饭吗?"

妈为强尼准备了一些热热的、容易消化的饼干,还有一块土豆泥饼,然后放在盘子里,最后又煎了一些咸肉片。妈装好一小壶热茶,把这些东西交给杰瑞,杰瑞就端着给老强尼送去了。

吃过早饭之后,爸去工棚看望了老强尼。他回来之后告诉妈,大个子杰瑞整个晚上都在照顾着强尼,杰瑞给那个可怜的老人盖上自己的毯子,而他呢,就只好蜷缩着冻了一夜。

"他照顾老强尼就好像照顾自己的父亲一样,"爸说,"还有啊,卡洛琳,咱们刚搬过来的时候他曾经帮过我们,我都不知道该怎么感谢他。"

哦,罗拉他们都记得,那天他们驾着马车赶往银湖的营区时,太阳落下,一个奇怪的骑马人一直跟着他们伺机打劫,是大个子杰瑞骑着白马阻止了他。

"唉,"爸说着站了起来,"我没有理由拒绝那些想购买子弹的人。我只能祈祷大个子杰瑞今天晚上不要再回营区来。要是他今天过来看强尼,他必然要去马厩拴马,那么那些人就会射杀他的!"

"天啊,查尔斯! 不会的,他们不会这么做的!"妈喊道。

爸戴上帽子,准备出门。"那个领头闹事的人已经杀过一个人了,"他说,"他对法官狡辩说自己是自卫,结果就被释放了。他曾经在州监狱里面坐过牢,上次发工资的时候,杰瑞赢光了他的工资。他没有胆子当面找杰瑞的麻烦,不过他可不是什么坦荡的君子,只要一找到机会,他就会暗算杰瑞的。"

爸去了商店。妈沉默地收拾好桌子,罗拉去洗碗。她一直想着骑着白马的大个子杰瑞,她看过他很多次骑着马驰骋在大草原上。杰瑞总是穿着一件红色衬衫,而且从来不戴帽子,白马也不戴任何马具。

爸再次回来的时候已经很晚了,他说六个人带着装好子弹的枪,埋伏在马厩的周围。

现在该上床睡觉了,营区没有一点亮光。在低矮的土坡旁边的工棚里一片漆黑,几乎什么都看不到,除非是你知道那里有一个工棚,这样才能模模糊糊地辨认出它的大概方位。银湖上反射着一点点星光,周围被黑色的草原包围着。天空如同一块黑色丝绒一样,星星镶嵌在其中眨着眼睛,照耀着下面的广阔草原。在一片黑暗中,风在冰冷地吹着,草丛里发出沙沙的声音,好像它们也感到了惊恐一样。罗拉看

着,听着,然后害怕地跑回了小屋。

　　小屋里的那道布帘已经拉好了,葛丽斯在布帘的一边睡着了,妈让玛丽和凯莉也赶快上床睡觉。爸挂好帽子,就坐在凳子上沉思起来,靴子也没有脱。罗拉进屋的时候惊动了爸,他抬起头看了一眼罗拉,然后果断地站起来,穿上外套,扣好扣子,再把衣领翻起来,这样里面灰白色的衬衫领子就不会露出来。罗拉没有问什么。

　　爸戴上帽子,对妈说:"卡洛琳,你先睡吧,不用等我。"

　　等妈从布帘后面走出来的时候,爸已经出门了。她赶快走到门口,也没有看到爸,他已经走远了。妈在门口愣了一分钟,然后转身对罗拉说:"你也快上床睡觉吧!"

　　"妈,我也想等爸回来。"罗拉说。

　　"我觉得我不会去睡觉的,"妈说,"现在肯定也睡不着,因为我一点也不困,这样的时候就是躺在床上也睡不着啊!"

　　"我不也困,妈。"罗拉说。

　　妈吹灭油灯,坐在那把爸为她做的山胡桃木的摇椅上,罗拉光着脚轻声走过去,挨着妈一起坐着。

　　她们就在黑暗里静静地坐着、等着。罗拉觉得耳朵里有一种嗡嗡声在回响,她能听见妈的呼吸声,还有格里斯睡着的沉稳呼吸声,还有玛丽和凯莉的那种醒着的稍快呼吸声。门留着一道缝,有轻轻地风吹进来,帘子在慢慢地飘动着,发出了细碎的声音。罗拉透过门的那道缝隙,能看到外面的星空,星星在远方闪烁着。

　　屋子外面有风声,还有草丛的沙沙声。罗拉还听到了银湖的湖水轻柔地拍打着岸边的声音。突然,从漆黑的外面传来一声尖叫,吓得罗拉身体一颤,几乎大喊出来! 原来,那是一个掉队的大雁的孤鸣声,接着是沼泽地里它的同伴们的回应叫声,野鸭也被吵醒了,呱呱地叫着。

"妈,我想出去找爸。"罗拉小声说。

"你别说了,"妈说,"你找不到他,而且爸也不希望你去找她。你乖乖的,爸能照顾好自己。"

"我想为他做点什么,只要能帮到他就行。"罗拉说。

"我也是这么想的,不过我们不能随便出去,"妈说,她的手慢慢地抚摸着罗拉的头,"每天的日晒和热风让你的头发太干燥了,罗拉,你得自己多保养,在每天睡觉之前都保持梳一百下头发。"

"好,我记下了,妈。"罗拉小说地说。

"我跟你爸结婚的时候,我有一头非常好的头发,"妈说,"我都能坐在自己的辫子上。"

接着,妈就不说话了,她一直抚摸着罗拉的头发,一边倾听着外面的声音。

罗拉看着门外,在离门框很近的地方,有一颗明亮的星星,它一直在不停地移动着,慢慢地从东方移到了西方。

突然,罗拉和妈都听到有脚步声传来,然后那些星星被挡住了,原是是爸的身影出现了。罗拉跳了起来,妈却全身发软地坐在了椅子上。

"噢,卡洛琳,你怎么还在等我啊,"爸说,"好了,你不用担心了,一切都没有问题了。"

"你怎么知道的?"罗拉问,"爸,大个子杰瑞到底……"

"你这个小姑娘,就不要太操心了,"爸打断了罗拉的话,"大个子杰瑞真的没事,他今天晚上不会到营区来了。要是明天一早我就看到他骑着白马赶过来,那才不会感到惊讶呢! 现在,咱们都赶快去睡觉吧! 赶快趁着太阳没升起之前多睡一会儿。"然后,爸发出了洪钟一样

的笑声,说:"哈哈!明天在铁路工地上会有很多打瞌睡的工人呢!"

罗拉回到帘子的另一边,在脱衣服的时候听到爸在低声说:"卡洛琳,整个银湖营区以后再也不会丢失一匹马了。"

第二天一清早,罗拉就看到大个子杰瑞骑着白马跑过来。他跑到商店那里跟爸打了招呼,爸挥挥手。然后大个子杰瑞就跑向了工地,去找那些干活的工人们。

从这天开始,银湖营区真的没有丢过任何一匹马了。

第十章　一个难以忘怀的下午

　　罗拉每天早上洗碗盘的时候,都能从打开的房门那里,看到铁路工人们走出食堂,去马厩那里牵自己的马。接着就是一阵马具碰撞的声音,还有那些工人的说话声和大笑声,等工人和马匹都去了工地之后,这里又恢复了平静。

　　就这样,日子一天天过去了,罗拉总是过着一成不变的生活。星期一是洗衣服的日子,罗拉会和妈一起把衣服统统洗干净,然后傍晚的时候再收回晾干的衣服。周二是熨衣服的日子,罗拉在晒干的衣服上洒上一些水,然后和妈一起把衣服熨平整。而周三呢,是缝补东西的日子。罗拉并不喜欢这件工作。玛丽已经开始练习不用眼睛也能缝补衣服,她的手指非常灵巧,可以出色地完成工作。要是罗拉帮助她把布片的颜色搭配好,玛丽就又可以缝补丁被了。

　　等到了中午,营地就又会人声鼎沸,工人们牵着马匹回来吃饭。爸也从商店回到小屋,大家围坐在小屋里吃饭,门敞开着,一阵阵小风吹进小屋，他们都能看到辽阔的草原。现在，草原上被染上了很多颜色，各种的深棕色、黄褐色和茶色，一阵风吹过，层层草浪向着天边的方向滚过去。

现在晚上的风已经越来越冷了，越来越多的鸟儿飞向南方。爸说冬天就要来了，不过罗拉没有考虑过冬天的问题。

罗拉一心想知道那些工人工作的工地在哪里，他们是怎么修建铁路路基的。工人们早出晚归，罗拉根本就看不到他们的工作场面，只能看到西边的草原上升起一阵灰尘，这就是罗拉所能了解的一切了。她真的很想去看看工人修建路基。

有一天，多西娅姑姑一家搬到营区来了。她带着两头奶牛，说："查尔斯，我带着会移动的奶库一起来了，这样我们就能每天喝到牛奶了，否则我们是不可能得到牛奶的，因为这里没有一个农民。"

这两头牛里有一头是送给爸的，它是一头红色的奶牛，很漂亮，名字叫艾伦。爸从多西娅姑姑的马车后面解下艾伦，然后把缰绳交给罗拉，说："罗拉，拿好了，你是个大姑娘了，能好好地照顾它。你要到水草丰美的地方去放牛，记得要拴好它。"

罗拉和琳娜总是相约一起去放牛，她们把两头牛拴在相离不远的草地上，每天早上和傍晚，她们都一起去放牛和接牛回家。她们一起牵着牛去喝水，然后选好一块草地去吃草，每天傍晚她们还在一起挤牛奶，然后一起唱歌。

琳娜会唱很多新歌，罗拉也很快就学会了。她们一边挤着牛奶，看着牛奶一股股地流进铁皮桶里，嘴里唱着歌：

一起在海浪里生活，
在浪涛里安家，

小蝌蚪摇着尾巴游啊游，

眼泪顺着脸颊流下……

有时候琳娜还会唱那首"不嫁给农夫"的老歌，罗拉也跟着一起轻声哼唱：

我讨厌嫁给一个农夫，

农夫只会土里刨食！

我想要嫁给一个铁路工人，

他穿着条纹衬衫！

哦，潇洒的铁路工人，

我要嫁给铁路工人，

我要嫁给铁路工人，

做一个最幸福的新娘子！

不过，罗拉最喜欢的曲子是华尔兹舞曲，她喜欢唱《扫把歌》，为了让曲子有些起伏，她得重复地唱着"扫把"这个词语：

买一把扫把！扫把！扫把！

买一把扫把！扫把！扫把！

买一把扫把！扫把！扫把！

请为这个巴伐利亚流浪者买上一把扫把，

快扫扫身上的虫子，

它们让人无比烦躁，

你会发现扫把用处多多，
白天晚上都是如此！

　　奶牛就在静静地站着，让她们挤牛奶，好像在专心听她们唱歌。挤过牛奶之后，罗拉和琳娜就提着装满了热乎乎的牛奶的铁桶回到小屋去。

　　早上，工人们走出工棚，在门外长凳上的水盆里洗脸梳头。这时，太阳就从银湖上冉冉升起。

　　傍晚，天边是红色、紫色和金色的火烧云，太阳落下了。铁路工人牵着马一路高歌走回来，一大群人走在已经踩踏出来的小路上。琳娜和罗拉挤完牛奶之后，都赶快回到各自的家中，因为她们得赶在奶油浮起来之前过滤牛奶，然后还要帮助妈做饭。

　　琳娜每天都有很多活计，她得给多西娅姑姑和路易莎堂姐帮忙，忙得没有时间玩耍。罗拉虽然稍微好一些，不过她也很忙，她们除了挤牛奶的时间之外，就没有机会在一起。

　　"如果我爸哪一天不让我们的小黑马去工地上干活儿的话，你猜我会怎么做？"一天傍晚，挤牛奶的琳娜说。

　　"我不知道，你会做什么呢？"罗拉问。

　　"那我就要尽力抽出一点时间来，骑着我的小马去看看工人们是如何干活儿的！"琳娜说，"你要不要一起去啊？"

　　"我当然想去。"罗拉说，她没有考虑这是不是违反了爸的叮嘱，因为她们肯定去不了。

　　不过，有一天吃了午饭之后，爸突然放下茶杯，擦擦大胡子，对罗拉说："我爱操心的姑娘，你问我太多问题了，所以等下午两点左右的时候，你戴上遮阳帽来商店找我。我带你去工地上看看工人是怎么修建路基的。"

"太好了！爸！"罗拉大声尖叫起来。

"罗拉,别这么兴奋地大叫。"妈说。

罗拉知道自己不能这么没有礼貌地大叫,她尽量压住情绪,说:
"爸,我能带凯莉一起去吗?"

"等一会儿再说。"妈说。

等爸走了之后,妈就非常正式而严肃地与罗拉进行了一次谈话。
妈希望她的女孩子们都能守规矩,要知道怎么轻声地与人交谈,并且
温柔而礼貌,一直都能做个淑女。他们一直都住在荒无人烟的地方,
只有过去曾住在梅溪河岸的时候,能和一些人交往,而现在他们来到
了这个到处都是粗人的地方。要是等待这里变成文明的地区,那还需
要很长的一段时间。妈认为在这个地区变成文明区之前,罗拉她们这
些女孩们都应该约束自己。妈郑重地告诉罗拉,不能接近铁路工人的
营区,也不要和任何一个粗人说话。既然罗拉这么想知道工人是如何
修建路基的,那么就让爸带着她去看看吧,这样免得罗拉总惦记着那
里。但是罗拉必须得守规矩,一定得做个合格的淑女,牢记住淑女是
不能做太张扬太引人注目的事情。

"是的,妈,我都记住了。"罗拉说。

"罗拉,还有一点希望你能记住,那就是你别带着琳娜一起去,"妈
说,"我知道,琳娜非常能干,给多西娅姑姑帮了很多忙,不过她的性格
太张扬,多西娅姑姑又不怎么管束她。所以,你要是真的很想去看看
那些粗人工作的工地,那么你就悄悄地跟着爸一起去看,然后再悄悄
地回来,以后就再也不要提起这件事了……"

"是的,妈,"罗拉说,"但是……"

"但是什么,罗拉?"

"没什么。"罗拉咽下了刚才的问题。

"我真搞不懂你到底怎么想的,"玛丽说,"待在干净舒适的小屋里多好啊,如果嫌闷可以去外面散散步,为什么非要去那些粗人干活的地方呢?"

"我说不出原因,就是很想去那里看看他们是怎么修铁路的。"罗拉说。

到了两点,罗拉就戴上遮阳帽并系好,并且心想这次一定要坚持系着。爸独自待在商店里,他见到罗拉后就戴上了自己的宽檐帽,然后出来锁好门,两个人一起走上了草原。现在是一天中光线最强烈的时候,看起来草原一片明亮,没有一片阴影,所以草原就好像是非常平坦的一片。其实并不是这样,因为他们才走了几分钟,就已经看不见小木屋了。走在平坦的草地上也没有好玩的,只有一条泥土路通往工地,路边上是铁路的路基。一片沙尘被风扬起,然后又被吹散了。

爸紧紧抓住帽檐,罗拉则低着头,遮阳帽在风里直发出响声。他们就这样顶着大风走了一会儿,然后爸停了下来说:"快看啊,罗拉,他们就在那里。"

爸和罗拉站在一个高一些的地方,刚才一直沿着泥土路延伸的铁路路基突然在这里中断了,在路基的前面,一些工人们正驾着马、拖着犁在向西面犁土。草原上的泥土被犁成了一条条宽宽的形状。

"他们就用犁头干活儿啊?"罗拉问,她觉得工人就用犁在荒野的草原上修建铁路,真是太奇怪了!

"除了这个,还有铲土机,"爸说,"罗拉,你现在就好好地看着吧!"

在路基中断的地方和工人犁土的地方的中间,工人们带着马队沿着一个圆圈慢慢地走着,一直越过路基的尽头再转回来,然后跨过犁过的地方。那些马拖着一些宽而深的铲子,这些铲子就是铲土机。

铲土机上不是长长的柄,而是有两个短柄。一个半圆形的坚固金属环从铲土机的一侧环向另一侧,马就套在这个半圆的金属环里。

他们是这样工作的:一个工人牵着马去犁地,然后另外一个工人就抓着铲土机的那两个短柄,把它稍稍提起来,让圆形的铲头能插进前面那个人刚犁过的松软的泥土里,然后马向前走,铲土机里就装满了泥土。然后工人放下手柄,铲土机就被平放到了地上,马顺着那个圆圈,拉着装满了泥土的铲土机到路基的坡上去。

到了路基中断的地方,赶马的工人就会抓住铲土机的短手柄,把铲土机整个翻过来,把泥土倒干净,然后马再拉着空空的铲土机沿着那个圆圈,回到正在犁的地面上。

然后,另一个人再抓着铲土机的短柄抬高它,让圆形的铲头插进松动的泥土里,铲土机被装满泥土后,马又拉着它走到路基中断处,工人再把铲土机翻个,把里面的泥土倒干净。

就这样,一对又一对的马绕着圆圈不停地走着,铲土机一次又一次地铲了泥土又走过去倒掉,马儿一刻不停地走着,铲土机也一刻不停地运着泥土。

等犁过的泥土都被铲走之后,弯道变得开阔了一些,然后马拉着铲土机走到更前面的地方,那里刚刚犁过,工人用铲土机又开始了运泥土的工作。而刚才犁地的工人则回到已经铲走松土的地方,再犁一遍地。

"罗拉,你看,这一切的工作就好像钟表内的机械运动一样,"爸说,"人人都在自己的工作岗位,没有人闲着,也不会很忙乱。"

"铲土机一辆接着一辆,装满了一辆之后,就会有第二辆在旁边准备好,然后有专门的操作铲土机的工人就一直在那里工作,双手提起

铲土机的短手柄,让铲土机转满泥土离开。而且,铲土机也不会被窝工,因为人们总在它们干活儿的时候,就会犁好另外一块土地,等松土被运送之后,工人们就会去那里再犁一次。他们配合得非常好,弗雷德操控得很不错。"

爸说的那个弗雷德就是站在倒泥土的那个地方的人,他监视着马匹和铲土机走着那个圆圈干活儿。犁地的工人刚开始在圆圈内干活儿,后来就犁到圆圈的外面去了。弗雷德监视着铲土机倒土,他看着泥土滚下来,有时点点头,有时简短地说是一两个字,告诉工人什么时候应该倒土,这样就能保证路基能弄得平坦而笔直。

每六组人马就有一个监督的人,他什么也不用做,就站着看着他们干活儿。如果哪匹马走得慢了,他就告诉牵马的人走得快些,如果哪匹马走得快了,他就告诉牵马的人走得慢点,要保证每组人马的速度都是平均的。他们要匀速地绕着那个圆圈走,越过犁过的土地,装满泥土后再走到路基那里,把铲土机的泥土倒掉后再越过路基走回犁过的土地那里。

这里总共有三十对马,三十架铲土机,每四匹组出一个工作小组,所有的犁地工人、所有的赶马人和铲土机的操作手,加上这些马匹,都在绕着圆圈工作着,各自守着工作岗位,不会出一点差错。就好像爸刚才说的,在草原上的这些工作就像钟表里零件一样准确无疑,而工头弗雷德就在路基的旁边,指挥着一切工作顺利进行。

罗拉看着这一切,觉得怎么都看不够,不过西边还有更多新鲜的东西能看呢!爸对她说:"罗拉,跟我过来,我们去看看工人怎么把路弄平坦。"

罗拉就跟着爸沿着马车压过的车印向前走,路上的草都被马车的车轮碾碎了,好像干草一样。他们往西边走了一点,看到工人们正在

一处稍稍凸起的地方修建另一段铁路路基。

在这里比较凸起的地方，他们往旁边有些凹的地方倒土，在更远一点的地方，他们再把高一些的地方的土铲掉。

"罗拉看啊，"爸说，"在地势较低的地方，他们就多倒一些土，在地势较高的地方，他们就铲掉一些土，让路基保持着平坦。铁路的路基就得这么平顺，才能让火车在上面飞跑。"

"可是为什么呢?"罗拉问，"爸，火车怎么就不能在草原上跑呢，这里只有一些轻微的起伏啊! 这里并没有高山，为什么非要费这么多力气去铲平地势高的地方，再垫高地势低的地方，就是为了让路基平坦。这么做，好像在浪费时间。"

"并不是像你想的那样,这么做以后就能省很多事情,"爸说,"罗拉,你应该能看明白,不用别人告诉你就能搞明白。"

罗拉知道,平常的道路平坦一些就能让马节省一些力气,不过火车是巨大的铁马,它怎么会感到累呢?

"你说的并没错,"爸说,"不过火车是烧煤炭释放热量然后前进的,而煤炭可不是容易就能弄出来的,必须要去地下开采,非常麻烦而劳累。而火车如果在平坦的铁路上前进,要比不平坦的路省力多了,所以你现在觉得修路这么麻烦,不过以后就可以节省很多钱和时间了。节约下来的东西就可以用来建造别的东西。"

"建什么? 爸,别的东西是指什么呀?"

"就是更多的铁路啊,"爸说,"我觉得总有一天,你能看到铁路会通到世界各地去,人人都能坐着火车出门,那时候马车就被淘汰了,罗拉,我对此深信不疑。"

罗拉想象不出来,居然能处处都有火车和铁路,而且人人都能有钱坐火车出门。不过她并没有真的去想,因为他们走到了一处较高的地方,他们能看到很多工人正在忙着让路基变得更平坦。

在那个有些凸起的地方,拖着犁的马和拖着铲土机的马一起挖了一条宽阔的沟,它们分工精确,拉着犁的马就来回走着犁地,而拖着铲土机的马就一直不停地运送着泥土,所有人马都非常默契地工作着。

不过这个地方与刚才罗拉看到的不太一样,这里铲土机没有绕着圆圈不停地走,他们的路线是一条长而窄的回形针形的路线。从铲土地段的一端进去,然后走过这条回形针似的路,再从相同的一端出来,把铲土机里的土倒在路的另外一边。

铲土机不断地倒土的地方就位于铲土地段最末尾的地方,是一条深沟,跟铲土地段垂直,在深沟的两边都架起了木头,深沟上有一座木头搭成的平台,平台的正中央有个洞。这个洞是人工挖成的,挖出来的土就堆在坑的两边,几乎和平台一样高了。

在铲土的地方,两匹一组的马拉着装满了泥土的铲土机走出来,它们一组组地排列好,秩序十分整齐。它们走过路基,来到倒土的地方,跨上平台。两匹马分开走,绕过那个大洞,这时站在那里操作的人就提起铲土机,把泥土倒进那个大洞里。两匹马稍稍停一下,等泥土倒空之后,就继续向前走去,一直走下路基,然后转头走向铲土地段,再去装满泥土然后走回来。

在那个平台的大洞下面,有很多马车在那里等着,只要平台上的工人倒铲土机里的泥土下来时,下面就会停好一辆马车接着泥土,每辆马车可以装五个铲土机的泥土。等马车装满之后就向前走了,然后后面的马车立刻就接上来,去平台上的大洞下面等着接泥土。

装满了泥土的马车走出那个深沟之后,就爬上朝着铲土地段延伸过来的铁路末端的路基。马车走到路基这里后,赶车的人就会把车上的泥土卸下。这种拉土的马车都没有车厢,上面就是用厚木板拼成的车板,工人只要抬起这些木板,泥土就能被倒下来了。然后马车接着向前走,走下路基,又回到那个平台的下面,等着接上面的大洞里落下的泥土。

犁地、铲土、倒土,这些都会让尘土四处飞扬,像烟雾一样四处腾起,然后落在那些奋力干活的工人和马的身上。工人们汗流浃背地工作着,阳光一直暴晒,他们的皮肤都晒得黑黝黝的,上面还混合了汗水和灰尘,他们穿的衬衫上面也同样脏兮兮的。干活儿的马也是如此,鬃毛和尾巴上沾满了泥沙,马肚子上也都抹满泥土。

他们就这样井然有序地干着,马车排着队走到铲土的地方再走出来,在深沟下面的马车也同样排好队伍接着泥土,拉到路基那里倒土,

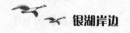

再走回来。马拉着犁在地面上来回犁着泥土,等铲土的地方拉干净泥土之后,再到那里去接着犁地。就这样,别的地面上的泥土越来越少,路基就越来越长,工人和马都在辛勤地工作着,整个劳动场面一片火热。

"他们居然这么有秩序,而且不会有失误,"罗拉非常惊叹,"每次平台上的工人倒泥土下去的时候,下面就会有一辆马车等着接土。"

"这是工头安排得好,"爸说,"他指挥工人们各司其职,就好像在指挥一曲交响乐一样。你应该仔细看看那个工头是怎么工作的,你就会觉得他真的做得很棒!"

这个工地上有好几个工头,他们散布在铲土的地方、堆高路基的地方、还有很多的工人和马车之间,监督着工人们和马的工作,调配他们准确地前进。有时他们会让一辆马车前进得快一些,有时就会让另一辆马车走得慢点,这样就能保证整个工作的链条都顺利进行,没有人会浪费时间等待的。

这时,罗拉听到有个工头在铲土的地方大喊:"嗨,兄弟们,加快速度!"

"罗拉,你看到了吗?"爸说,"因为到了快收工的时候了,工人们不自觉地有点放慢速度,不过一个好工头会很快发现这一点的!"

这一个下午,罗拉和爸都在那里看着这些不断绕圈干活的工人和马匹,搞清楚了铁路的路基到底是怎么建成的。一眨眼,就到了傍晚,现在得回商店和小屋了,罗拉再好好看了一下那些干活的场面,然后跟爸一起走了回去。

在回去的路上,爸让罗拉看那些钉在草地里排成直线的木桩,上面都写有数字,这些木桩就用来标示铁路路基用的,是测量人员钉下的。木桩上写的数字就是告诉后面铺设路基的人,在低矮的地面要把路基垫高到多少高度,在地势较高的地面又该去除多少高度。测量人员总是先在这些干活的工人之前,就来到草原上测量出这些数据,然后钉下木桩,留做标记。

最开始,修铁路只是一个人的设想,然后测量人员先到了草原上,在完全没有铁路的地方做仔细的测量,做下标记,那时的铁路只是存在于测量人员的头脑中而已。然后,有工人过来犁地,把草原上的泥土都松开,再有工人把这些泥土用铲土机挖起来,然后马车拉着泥土去垫路基。在这个阶段,每个工人都会说自己是在修建铁路,可是这时候可根本看不到一点铁路的影子。现在就只能看到草原上要么被挖开,要么被垫高,一点点延伸的铁路路基只不过是一些很窄很短的长条土堆,一直向着草原的西面延伸。

"等到路基一直修到那边的火车站之后,"爸说,"铲土的工人就会用手铲将路基的两边都铲平,还要把路基的上面也拍平。"

"再然后,他们就可以在上面铺上铁轨,那么火车也就能开过来了。"罗拉说。

"我爱操心的姑娘,你别向前想得太快啊,"爸说,"他们先得运来枕木,然后铺好才行。你记住,罗马不是一天就能建成的,铁路也要一点点才能建设好,任何事情都是这样,不能太心急。"

太阳渐渐西沉,草原上起伏的地方都向东面投下了阴影。一群群野鸭和排列整齐的大雁飞过天空,落到银湖那里过夜。一股清新的风吹过来,沙子没有被吹起。罗拉摘下遮阳帽,这样就能吹到轻轻的风,并且能看到整片的壮阔草原。

如今,草原还没有通火车,不过总有一天,铁轨会连接上草原的另一端,在被铺设得非常平坦的路基上,火车飞快地呼啸而过,喷着蒸汽,鸣着汽笛。所以,罗拉想着想着,好像已经看到以后这里通火车的样子了。

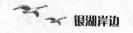

　　她问爸:"爸,就是因为这样才会第一次修建铁路,是吗?"

　　爸说:"你说的是什么意思?"

　　"是因为人们在没有铁路的时候就想象出了铁路,所以才会有第一条铁路和火车的出现,是吗?"

　　爸仔细地想了一下,说:"罗拉,你说的不错,这么多从来没有过的东西都是这么被制造出来的,是人们先想到了,所以才创造了他们。要是很多人都来想一件事,然后努力地制造它,那么我想,在一切机会都准备好的时候,这件事情就能成功。"

　　"那座房子是干什么的?"罗拉问。

　　"在哪啊?"

　　"就在那里,那座真正的房子。"罗拉指给爸看,她一直都想知道那座真正的房子,一直孤零零地矗立在银湖的北岸,它到底是做什么用的,不过她以前总是忘记问爸。

　　"哦,那是测量员住的房子。"爸说。

　　"他们现在住在里面吗?"

　　"他们有时过来,有时会离开,"爸说,他们这时候已经到了商店门口,"好了,爱操心的姑娘,我还得回去忙一阵呢! 你今天下午已经看到了铁路路基是如何建成的了,你回去之后要讲给玛丽听啊!"

　　"爸,我肯定会讲给她听,"罗拉说,"我不会漏掉一个细节的。"

　　等罗拉回去之后,她就把下午所看到的、听到的全都讲给玛丽听,不过玛丽并没有什么兴趣,她问:"罗拉,我真不明白你怎么会喜欢去那里,去看那些脏兮兮的粗人干活。你看待在家里多么舒适和干净啊,我在你出去的这个下午,又做好了一条被子呢!"

　　不过,罗拉依然回想着下午看到的劳动场面,她好像能看到那些工人和马匹配合默契的样子,甚至能把他们动作的节奏哼出来。

第十一章　发工资的日子

现在,又过去了两个星期,爸每天晚上吃过饭之后还要回商店后面的小办公室去加班。他正在忙着弄工人的记工表,填好对账单。

通过每天的考勤表,爸先算出来每个工人上了多少天班,并算出每个人的工资,然后再算出每个人在商店赊了多少钱的东西,还有每个工人在食堂的饭钱,把这些钱扣除之后,剩下的就是他们的工资了。爸要把这些数据都算好,然后填好对账单。

到了发工资的那天,爸就根据对账单把每个人应得的工资发下去,同时给他们个人的对账单。

在以前,罗拉总能帮上爸的忙。她还是个小女孩的时候,那时他们住在威斯康星大森林里,她会帮爸做子弹。后来搬到印第安区,她帮着爸一起盖房子。然后是他们一家人搬到了梅溪,罗拉帮爸割干草、做各种杂活、但是到了银湖这里,她却不能给他帮忙了,因为爸不让罗拉去那间办公室,说公司有规定,除了爸之外,不准任何人进去。

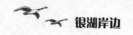

罗拉明白爸正在做什么工作,因为小屋的门开着,她能看到商店的里面,也能看到进进出出的工人。

一天早上,罗拉看见一辆马车飞快地驶过来,停在了商店的门口。随后,车上下来一个穿得非常体面的人,他快速地走进了商店。马车上还有两个男人,他们看着那个人走进商店,还不时地四处张望着,一副非常紧张、害怕的样子。

没等一会儿,那个走进商店的人就出来了,上了马车,然后他们一起四处望望,赶快催促着马离开了。

罗拉直觉告诉她是出了什么事情,她赶快冲出小屋,向商店跑去。她吓得心脏怦怦乱跳,这时爸平安地从商店里走了出来,她才松了一口气,停下了脚步。

"罗拉,你要去哪儿啊?"妈走出小屋来问她。

"我哪里也不去,妈。"罗拉说。

爸快步走进屋子,关好门后从衣服的口袋里拿出一个重重的小包。"卡洛琳,你来看管这个小包吧,里面装着那些工人的工资。有一些打算偷这些钱的人肯定会去商店的。"爸说。

"好的,查尔斯,我会看管好的。"妈说着,接过了那包钱,然后包在一块干净的布里,把它放到面口袋里,然后上面盖好面粉。"你看,没有人会想到钱藏到了这里。"妈说。

"爸,是刚才那个人送来的钱吗?"罗拉问。

"是的,他是出纳员。"爸说。

"跟着他一起来的人显得非常害怕。"

"啊,罗拉,我觉得并不是那样的。他们是保护出纳员,免得半路遭到抢劫,"爸说,"因为他们带着几千美元,是这整个营区工人的工资,所以可能会有人想去抢这些钱。不过来送工资的人都带着枪,马车上也有枪,他们并不需要害怕。"

　　爸又回商店去了,罗拉看到爸的裤子口袋里露出左轮手枪的枪头,她知道有了这支枪,爸也不会害怕的。罗拉又看看爸放在门边的来复枪,还有小屋墙角里的猎枪,妈会使用这些枪,所以她们不用害怕有人会来抢那些钱。

　　晚上,罗拉睡觉的时候醒了好几次,她听到帘子那边的爸也在不停地翻身,知道他也没有睡安稳。就因为那几千美元放在家里,所以夜晚变得格外黑暗,也格外漫长,外面的种种声音都觉得可疑。不过话又说回来,没有人会想到钱就藏在那里,所以也不会有人去偷的。

　　第二天就是发工资的日子,爸带着那些钱去了商店。吃过早饭之后,所有的工人都来到了商店的旁边,一个一个地走进去,再一个一个地走出来。工人们都几个人聚在一起聊天,因为今天是发工资的日子,所以不用去工地干活儿。

　　晚上爸吃过饭之后,他说自己还得回办公室一趟,因为那些工人搞不明白为什么他们只能拿到两个星期的工资。

　　"为什么啊?他们为什么拿不到一个月的工资呢?"罗拉问。

　　"罗拉,是这样的,我要弄出这些对账单和考勤表,并送到公司去,然后出纳才能带着钱过来,我再发给工人,这期间需要两个星期的时间。我现在给他们发下十五号之前的工资,等两个星期之后,我再发给他们十五号到现在的工资。不过这些工人可搞不懂这些,他们就不明白为什么要等上两个星期才能拿到工资。他们就想拿到所有的工资,直到昨天的工资。"

　　"我说查尔斯,你不要为这件事情费神了,"妈说,"那些工人不会弄明白这到底是怎么回事的。"

　　"爸,他们没有把这个责任推到你身上吧?"玛丽问。

"现在这就是最让我头疼的一点,玛丽,"爸说,"我也不知道他们会不会把帐记到我的头上。不过我怎么都得回办公室,还有一些账目没有算好。"

罗拉她们很快地收拾好碗盘和餐桌,妈抱着葛丽斯,哄着她睡觉,凯莉坐在妈的旁边。玛丽和罗拉坐在门口,罗拉看到阳光从湖上一点点消失,太阳慢慢地落下去,她把看到的一切都告诉了玛丽。

最后一缕彩霞照射在银湖上,水面已经变得朦胧不清了。野鸭和大雁在银湖上栖息,远一些地方的草原都已经变得黑乎乎的。一颗颗星星出现了,天空变成了灰白色。爸办公室里的油灯点亮了,一团黄色的灯光投射出来。突然,罗拉看到一群人正在商店附近,她喊了起来:"妈!你快看啊!"

原来是那些工人悄悄地走了过来,他们没有一个人说话,脚踩在草地上几乎没有发出任何声音,但是人群却越聚越多。

妈赶快站起来,把葛丽斯放在床上,她走到门口从罗拉和玛丽的头上望出去,对她们说:"孩子们,快进屋来!"

她们赶快进屋了,然后妈关上门,留着一道门缝向外张望着。玛丽和凯莉坐在椅子上,罗拉走到门边和妈一起往外看。

那群人紧紧地围着商店,突然有两个人从人群里跳出来,上去敲门。这时所有人都非常安静,只能听到两个人用力拍门的声音,整个黄昏好像都已经静止了一样。

那两个人一直不停地拍门,一个人大喊道:"英格斯,开门!开门!"

爸打开了门,灯光从门口投射出来,爸就出现在灯光里,然后关上了门。刚才那两个拍门的人退到了人群里。爸站在台阶上,双手插在口袋里,平静地说:"怎么了,伙计们?"

有个声音在人群里传出来："我们要拿回自己的工钱！"

其他人跟着一起吼着："对，我们要所有的工钱！""你把我们的那两个星期工钱藏起来了，快交出来！""我们要自己的工钱！"

"你们再等两周，等我把考勤表和对账单都整理好，就可以发给你们了。"爸说。

"可我们现在就要！""对，别想拖过去！""我们现在就要领工钱！"工人大喊着。

"我现在给不了你们，"爸说，"必须出纳把钱送过来，否则我没有钱给你们。"

"打开商店的门！"有人喊道，于是所有人都跟着喊起来，让爸赶快打开门！

"我不能，伙计们，我不能开门，"爸说，"你们明天早上再来，那时我会让每个人都得到自己想要的东西——当然是要记到他的帐上。"

"如果你不打开商店，那我们可就要动手了！"不知是谁大喊了一声，人群顿时沸腾起来，工人们纷纷向前涌着，逼近了爸，就好像那阵咆哮声推着他们一样。

罗拉很想冲出门去，不过妈抓住了她的肩膀，把她拉回来了。

"妈，你让我过去，他们会伤害爸的！ 快让我出去！"罗拉哭了一样地尖叫着。

"罗拉，别闹了！"妈用一种从未有过的严肃口吻说。

"伙计们，退后些，别靠得太近了。"爸说。罗拉听到了爸沉稳的声音，她全身都在发抖。

突然从人群的后面有一个声音响起："怎么了，伙计们？"这个声音非常低沉而有力，虽然声音不大，却能引起所有人的注意力。

罗拉知道那肯定是大个子杰瑞，她看不到他的红色衬衫，不过能

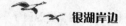

看到一个高高的身影，足足比那些人群高出一个肩膀和一个脑袋，只有大个子杰瑞才能有那么高的个子。在人群的外面，罗拉能看到一团灰白色的影子，应该就是他的白马。那群人看见杰瑞来了，就窃窃私语起来，然后杰瑞开始大笑着说："你们这些大傻瓜！为什么这么生气啊，值得吗？你们不就是想要商店里的东西吗？那真是太简单了，明天我们就可以想拿什么就拿什么，东西可是一直都在商店里，没人会偷走它们的！如果我们想动手来拿，谁能阻止得了我们呢?!"

接着,大个子杰瑞就说起了粗话,里面还夹杂着一些脏话,罗拉从来没有听到过这些话。不过她没有心情理会这些,因为她几乎都要崩溃了,因为大个子杰瑞居然也要撬开商店去抢东西,那么爸还有什么希望呢? 罗拉觉得一切都像一个盘子摔倒了地上那样碎裂了。

现在,那些工人都以大个子杰瑞为核心了,他们围着他热烈地聊着天。杰瑞喊着几个人的名字,招呼他们一起去喝酒和打牌,就这样一些人跟着他走了,而剩下的人也就慢慢散了,三三两两地消失在黑暗之中。

妈关好门,对她们说:"好了,孩子们,赶快睡觉吧!"

罗拉乖乖地上床了,不过她身上一直发抖,也没有听到爸回来。她还能听到在营区那边传来一些粗野的吵闹声,偶尔还有一些人在唱歌。她想在爸回来之前自己肯定睡不着了。

不过,等罗拉再次睁开眼睛的时候,已经是第二天早上了。

罗拉起床后看到太阳在银湖的那一边升起,一束束金色的阳光照射在一朵红色的云彩上。银湖在早上的阳光下变成了玫瑰色,一群群野鸟在鸣叫中飞走了。营区里一片嘈杂,工人们都在食堂外面大声嚷嚷着。

妈和罗拉就在屋里向外看着,她们听到大个子杰瑞大喊了一声,然后翻身上马。"嗨,我说伙计们,咱们一起去找找乐子!"然后白马一下扬起了身子,原地打了一个转,然后又扬起了身子。大个子杰瑞发出一句吆喝声,策马奔向草原的西边,然后工人们都冲向马厩,一个个都骑上自己的马,追着杰瑞一起跑走了。所有人都骑上了马,瞬间就不见了踪影。

营区变得冷清清的,妈和罗拉稍稍觉得安心了一些。

爸走出商店,他去了食堂那边,工头弗雷德正好从食堂里走出来,

他俩在一起谈了一会儿,然后弗雷德走到马厩那里牵出自己的马,骑着向西边跑去了。

爸走回小屋,脸上一直笑眯眯的,妈说她不知道这有什么好笑的。

爸哈哈大笑地说:"多亏了大个子杰瑞!他带着那些工人到别的地方捣乱去了!"

"他们去哪儿了?"妈问。

爸冷静下来,严肃地说:"所有营区的工人都跑到了斯特斌营区,那里发出了暴动,情况很糟糕。你说的对,卡洛琳,这并没有什么可笑的地方。"

这一天,营区里十分安静。罗拉和玛丽一直没有出去散步,她们都不知道斯特斌那里到底发生了什么事情,也不知道那些工人什么时候回来。这一天,妈一直表现得十分焦虑,紧紧地抿着嘴唇,还时常不自觉地叹气。

到了晚上,工人们都回来了,而且都静悄悄的,比走的时候安静了许多。他们都在食堂里吃饭,然后就回工棚睡觉了,再也没有闹事。

等爸从商店回来的时候,玛丽和罗拉都没有睡着,她们躺在床上听爸妈在帘子的另一边说话。

"卡洛琳,你不用担心了,"爸说,"那些工人已经发泄了自己的怒火,已经没事儿了。"爸打着哈欠,把靴子脱下来。

"他们到底去怎么闹事了?查尔斯,没有人受伤吧?"妈问。

"工人们去斯特斌闹事,把出纳员吊了起来,"爸说,"一个人受了重伤,有人驾着一辆运送木材用的马车送他到东部去就诊了。卡洛琳,你别忧虑了。感谢上帝,我们这么幸运地逃过了一劫。现在,这些糟糕的事情终于平息了。"

"现在事情都结束了,我才觉得后怕。"妈的声音听上去有些颤抖。

"卡洛琳,快过来。"爸说。罗拉知道这会儿妈去和爸坐到了一起。"好了,卡洛琳,别多想了,"爸说,"你千万不要担心,路基这就快修好了,然后营区的人们就会搬走,营区也就关闭了。到了明年夏天,我们就能搬到自己的放领地去住了。"

"你什么时候能挑好放领地呢?"妈问。

"等营区的工人撤走我就去选,不过在那之前,我不能离开商店,你知道这里面的利害关系吧!"爸说。

"是的,我知道,查尔斯。那个杀害出纳员的人最后怎么样了?"

"出纳员没事,"爸说,"你听我给你讲讲这整件事情:斯特斌营区的情况与我们这里差不多,商店的后面就是办公室,然后只有一个门可以出入。出纳员就拿着钱待在办公室里,把门锁好,然后在门边的一个小洞口那里为工人发工资。

"在斯特斌营区一共有三百五十多个工人,他们和这里的工人一样,想拿走到这里干活儿以来的所有工钱。结果出纳员发给了他们只到十五号的工资,工人们一下就愤怒了,他们拿着枪冲进了商店,大声嚷嚷着要领全部的工资,否则他们就要开枪摧毁整个商店。

"在商店里的工人们十分亢奋,结果有两个人不知为什么吵了起来,然后一个人抓起秤砣砸到另一个人的头上,那个人一下就倒下了。然后工人们拖着他到商店的外面,发现他已经晕了过去。

"工人们找了一根绳子,决定要处罚一下刚才那个打人的人,他们追踪他一直到大沼泽那里,结果在深草丛里追丢了。他们在草丛里一阵乱找,我猜是他们自己把脚印什么的给弄乱了。结果一直找到过了中午,他们也没有找到那个人,也是那个人够幸运! 等工人们从沼泽地回来的时候,商店的门被人锁上了,他们进不去了。于是有人张罗着,驾着一辆马车把受伤的人送去了东部,到那边再去医治。

"就在这个时侯，这周围营区的工人们都涌到那里，他们在食堂里吃了所有的东西，还喝了很多酒，然后借着酒劲，他们开始闹事了。他们一起砸商店的门，让出纳员把工钱都发给他们，不过里面始终没有人出来。

"然后这个时侯，有人看到了那跟绳子，就大喊着：'吊死那个出纳员！'你知道，一千多个喝醉的酒鬼聚在一起，什么事情都做得出来！他们纷纷扯着绳子，大喊着：'吊死出纳员！吊死他！'

"然后有两个工人就爬上了房顶，砸出一个洞来，他们就把绳子的一端顺着房顶的边缘放下去，那些工人抓住绳子，房顶上的两个人就把绳子的另一端扔到屋子里，然后用绳子套住了出纳员的脖子。"

"天啊，查尔斯，别说了，孩子们都没有睡着啊！"妈说。

"事情也就发展到这个地步而已，他们把出纳员吊起来两次，他就完全屈服了。"

"他们没有吊死他？"

"没有。外面的工人们拿着扁担去拍打商店的门，店员打开了门，然后办公室的一个人救下了出纳员。出纳员被吓傻了，他打开发工钱的那个窗口，那些人说要多少钱，他就给多少钱，很多其他营区的工人也挤在里面拿到了钱。那阵子混乱，谁也顾不上去管什么对账单之类的了。"

"天啊，他真是不负责任！"罗拉大叫着，爸拉开了帘子，"他真懦弱，为什么要乖乖地给钱？要是我，绝对不会这么不负责任，绝对不会！"

罗拉愤怒地大喊着，爸妈都插不进话去。她跪在床上，紧握着拳头，嘴里大声说着话。

"你不会做什么？"爸问。

"我不会给他们钱的！就算他们出什么主意,我也不会给钱！爸,您就没有给他们钱!"

"他们那边的工人更多,而且情绪更不稳定,再说那个出纳员也没有大个子杰瑞的帮忙。"爸说。

"就算是您处于他的境况,您也不会给钱的,爸。"罗拉说。

"嘘!"妈要他们都小声点,"千万别吵醒葛丽斯。其实我觉得那个出纳员非常明智,好汉不吃眼前亏啊!"

"天啊,妈,您不会真的这么想吧?"罗拉小声地问。

"无论如何,勇敢也需要谨慎来做首要条件的。好了,孩子们,快睡觉吧!"妈说。

"妈,"玛丽轻轻地说,"他怎么就这样给工人们发钱呢? 他已经把工人的工资都发出去了,那么后来的钱又是怎么回事啊?"

"是啊,查尔斯,那些钱从哪里来的?"妈问。

"那是商店的钱。那里是一个很大的商店,早就赚回了工人们的钱,那些工人们挣钱快,花钱更快,"爸说,"孩子们,现在听你妈的话,都赶快睡觉吧!"然后,爸拉上了帘子。

玛丽和罗拉躲在被子里悄悄地说话,一直到妈熄了灯。玛丽说自己想回到梅溪去,她不喜欢这里。但是罗拉没有附和她,罗拉喜欢这里,喜欢小屋周围的大草原。她想到那些闹事的工人们的大声吵嚷声,还想起来爸是如何对付他们的,她的心跳不觉加快了。她还想起了那天下午看到工人和马匹如何在漫天沙尘中干活儿,在紧凑的节奏中修建着铁路的路基。她真的一点不想回到梅溪。

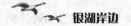

第十二章　飞过银湖

　　现在气温渐渐下降,一群群鸟儿飞过天空。这些鸟从东边飞向西边,从北方飞到南方去过冬,天空里尽是一群群展翅高飞的鸟儿。

　　每天晚上,都会有很多小鸟从空中落下,在银湖上过夜。这里面有个子很大的灰雁,还有稍小一些的、好似一团白雪一样的雪雁。野鸭的种类也有很多:翅膀上带有闪光青紫色条纹的野鸭、红头鸭、蓝嘴鸭、水鸭,还有很多是爸都叫不上名字的野鸭。除了这些,还有苍鹭、塘鹅和小小的泥鸡。还有一种有趣的黑色潜水鸟,每当有异样的声响,潜水鸟就一翘尾巴扎进水里,它能在水里潜水很久,也不用出去换气。

　　每到了黄昏的时候,银湖湖面就落满了各种鸟群,各种鸟的叫声也唧唧呱呱地响着。鸟群在银湖上休息一晚,第二天一早就会启程继续飞往南方。因为冬天就要来了,这些鸟儿都知道冬天来的讯息,它们纷纷早一点启程飞往南方过冬,在旅途中可以稍稍休息一下。它们在银湖上好好地休息一晚，等第二天的黎明到来，它们就挥动翅膀起飞。

一天，爸去打猎，回来时手里提着一只雪白的大鸟。"快看啊，卡洛琳，"爸有些沉重地说，"我感到非常抱歉，因为我真的没有认出它来，否则我肯定不会开枪的。这是一只天鹅，它太美了，我真的很后悔开枪。我不知道它是天鹅，以前从来没有见过飞翔的天鹅。"

"查尔斯，你别难过了，现在再伤心也没有用了。"妈说，他们一起看着地上那只被打死的天鹅，心里都十分难过。"这样吧，查尔斯，"妈说，"我来拔毛，你来剥皮，我们把天鹅美丽的绒毛和皮都留下来做纪念。"

凯莉站在一边惊讶地说："这只天鹅比我还大呢！"这是真的，爸特意量量这只天鹅，它白色翅膀展开来，用尺子一量，足足有八英尺长。

还有一次，爸打了一只塘鹅带回来。他掰开塘鹅的嘴巴，有死鱼从它的嘴巴下面的囊里掉下来，一股臭气也跟着冒了出来。妈用围裙捂住了嘴巴和鼻子，而上去看热闹的凯莉和葛丽斯也赶快捏住了鼻子。

"查尔斯，快把它扔了！"妈用围裙捂在脸上。那些鱼有的是新捕来的，有的则已经在里面待了很长时间了。这样弄得塘鹅身上有一种浓重的臭味，就连羽毛也是臭的，不能用来做枕头。

爸每天都出去打猎，除了美味的野鸭和大雁之外，有时候还会打鹰，因为老鹰会吃别的鸟类。罗拉和妈每天就把爸打回来的猎物收拾好。

"罗拉，我们就快攒够羽毛来做羽毛床垫了，"妈说，"这样你和玛丽今年冬天就能有羽毛床垫来铺了。"

在这里的美丽秋天，天空中飞满了鸟儿，它们掠过湖面，振翅高

飞。无数的大雁群、野鸭群和别的鸟类,都在扇动着翅膀向南方飞去。

这些在天空中自由飞翔的鸟儿,还有秋高气爽的天气和清晨的浓雾,都让罗拉想去旅行。她也不知道要去哪里,只是不想总待在这里,想出去走走。

"爸,我们搬到西部去吧!"罗拉在一天的晚饭后,忍不住地说出来了，"等亨利叔叔他们去西部的时候，我们也一去过去，好不好？"

亨利叔叔和他的两个孩子在这个夏天挣了很多钱，他们就能去西部了。如今，他们先回到威斯康星大森林那里，卖掉自己的小屋和农场。到了第二年春天，他们就和波莉婶婶一起去蒙塔纳。

"我们也去吧！"罗拉说，"爸，您今年也挣到了三百美元呢！我们还有马和马车，我们完全可以去西部呀！"

"天啊，罗拉，"妈说，"可是……"她看着罗拉，说不下去了。

"我的小瓶子，我知道你在想什么，"爸慈祥地说，"你跟我非常相像，看到现在飞翔的小鸟，就动了远行的念头。但是我在很久以前就答应过你妈，要让你们都去上学。如果咱们搬到西部去，就又找不到学校了。这里以后会建成一个小镇，然后就会有一所学校。我选上一块放领地，咱们定居下来，你们几个孩子就可以去上学了。"

罗拉看看爸和妈，知道这个事情已经定下来了，不可能改变了。爸妈会待在放领地上，她和凯莉去上学。

"罗拉，总有一天你会明白的，然后你就会感谢我现在这么做。查尔斯，你也如此。"妈说。

"卡洛琳，只要你开心，我做什么都行。"爸说。这句话是真的，不过爸想去西部也是真的。罗拉接着去洗晚饭用的碗盘了。

"罗拉，"爸喊她说，"还有一件事，我得跟你说明。是这样的，你妈以前曾做过教师，而且你外婆也是教师，所以你妈就一直有个夙愿，希望她的几个女儿里能有一个在学校教书。我想应该就是你了，所以你得去上学。"

罗拉先是心跳加快一些，然后又慢慢地沉了下去。她没有说什么，心里暗暗想着，以前爸妈和玛丽都认为玛丽就是那个最理想的教师继承人，结果现在玛丽的眼睛看不到了，也就不能成为一名教师了。

而罗拉自己呢,她一点都不想当教师,也有点缺乏自信,不过她还是鼓励自己要接过这个重任。

她不能让妈抱有遗憾,她要像爸说的那样好好读书,然后长大了就去做一名教师。除了这条路,罗拉想不出她还能怎样挣钱。

第十三章 营区一片混乱

现在已经进入深秋了,辽阔的草原在淡淡的天空下微微起伏,各种柔和的色彩交相辉映。野草都变成了黄色,整个草原仿佛都换了装扮,各种的浅黄、深黄、棕黄交织在一起,而在大沼泽那边还保持着一片青翠。天空中没有那么多的鸟儿飞翔了,偶尔飞过的鸟儿都非常着急,它们要抓紧时间飞到南方去过冬。在黄昏的时候,也会有鸟群在银湖上飞过,虽然它们继续休息和觅食,不过它们并没有落下来。它们不断地更换领头鸟,带领着鸟群飞向南方。因为冬天马上就要到了,鸟儿们得及时赶到南方去才行,根本没有时间休息。

现在的早上都开始结霜了,而傍晚就会吹起很冷的风。罗拉和琳娜相约一起去挤牛奶,她们都用别针固定好围巾,不过没有穿鞋的小脚都非常寒冷,鼻子也觉得很凉。她们挤牛奶的时候会蹲下去,这样围巾就能搭到脚面上,她们就觉得暖和多了。

琳娜带着罗拉一起唱歌:

可爱的姑娘,你去哪儿呀?

先生,我去挤牛奶,姑娘说。

我想和你一起去,我可爱的姑娘,

噢,要是你乐意,我很高兴。

美丽的姑娘,你的嫁妆有多少?

先生,我的容貌就是最好的嫁妆,姑娘说。

那我不能与你结婚,我可爱的姑娘。

没有人逼着你娶我,先生,姑娘说。

"我猜我们就要分别了,而且很长时间不能再见面了。"有一天傍晚,琳娜对罗拉说。

现在,银湖地区的铁路路基的修建工程就要结束了,第二天一大早,多西娅姑姑就要带着琳娜和简恩走了。他们要趁着天黑的时候离开,因为他们打算带走三辆马车,并装满商店里的东西。他们对谁都没说自己打算去哪里,因为他们怕公司会去追他们回来。

"我真想我们能有时间一起骑着小黑马去玩耍。"罗拉真诚地说。

"他妈的!"琳娜大声说出这个不礼貌的字眼,"这个夏天终于结束了! 我真讨厌这个营区! 这下可好了,我们再也不用做饭了! 再也不用洗碗了! 再也不用洗衣服了! 还有不用擦地板了!"琳娜欢呼了几声,然后对罗拉说:"再见了,罗拉,我想你这辈子就会住在这里,再也不能离开了。"

"我想是这样的。"罗拉伤心地说。她知道琳娜就要去西部了,没准还会去奥勒岗呢!

到了第二天,罗拉就只能自己给那只同样孤单的奶牛挤奶了。多西娅姑姑运走了一马车燕麦,琳娜运走了一马车商店货物,而简恩则驾着马车拉走了许多铲土机和犁子。海逸姑父先留在这里,他等着和公司交接,然后再去找他们。

"要是这次他们运走的东西都记在海逸的账上,那么海逸就欠了公司一大笔钱了。"爸说。

"查尔斯,你为什么没有阻止他们拉东西呢?"妈说。

"我没有这个责任,"爸说,"我在这里的工作只是让承包人拿走他想要的任何东西,然后记在他的账上。卡洛琳,你别担心了,多西娅他们并不是偷东西,这些都是海逸完成了这里和苏克斯营区的工程之后该得到的东西,他并没有占多大便宜。公司用一种方式欺骗了他,而他就用另一种方法拿回来,就是这样。"

"好吧,"妈叹息一声,"等这个营区全部搬走,然后我们也能找到放领地并居住下来,过上安稳的日子,我也就放心了。"

营区里每天都会有工人结算了工资然后离开,吵吵嚷嚷的非常恼人。然后,一辆辆马车都离开了营地,向东边走去了。就这样,营区里的人和马都在一天天减少,直到有一天,亨利叔叔带着路易莎堂姐和查理表哥也走了,他们要先回到威斯康星大森林去。食堂和工人住的工棚已经没有人用了,商店也空了,爸一直等着公司里来人核对账目。

"我们得搬到东部去,这样才能度过这个冬天,"爸说,"这个小屋可不能抵挡严寒,就算公司能让我们住在这里,哪怕有煤炭过冬,也不行啊!"

"可是,查尔斯,你都没有申请到放领地呢!"妈说,"要是我们必须得花掉你挣来的钱才能过冬的话,我们就在这里坚持一下吧。"

"我知道这不合适,但是我们没有别的办法,"爸说,"在搬走之前,我就会选好放领地,然后明年春天去提出申请。没准明年夏天我

还能找到一份工作,来养活一家人,并且买到木料来盖一所小屋,哪怕是一间泥草屋呢!不过哪怕是这样,我们也得花掉所有的积蓄,因为这里的物价和煤炭都太贵了,我们还是搬走吧!"

罗拉觉得以后的日子真是太难了,她想让自己乐观一些,却完全做不到。她不想回东部了,不想离开银湖。他们已经搬到这里住了这么长时间,那么她就想一直住在这里,而不是被迫搬走。不过如果必须要搬走的话,谁也没有办法,到了明年春天他们再搬回来。

"罗拉,你怎么了?不舒服吗?"妈问道。

"我没什么,妈。"罗拉说。她只是感觉心里太过沉重,无论怎么鼓舞自己,也无法振奋起来。

过了几天,公司来人查过了账目。一批从西部过来的马车经过这里,据说这已经是最后一批了。银湖也看不到什么鸟了,天空中只有偶尔飞过的苍鹭,显得空空荡荡的。妈和罗拉补好马车的顶棚,然后烤了许多路上要吃的面包。

有一天晚上,爸一路都吹着口哨回到了小屋,好像一阵风那么轻快。

"嗨,卡洛琳,我们就留在这里过冬如何?"爸高声喊着,"我们能住在测量员的房子里!"

"啊,爸,我们能住进去吗?"罗拉喊着。

"当然能了!要是你妈同意的话,"爸说,"那间房子非常坚固严密,能够抵挡严寒。刚才测量员的领导去了商店,对我说他们本打算住在这里过冬,所以就储存了很多过冬的食物和煤炭。要是我愿意留在这里看管公司的东西的话,他们就出去过冬。而且公司也同意了!

"他们说,房子里储备了足够的面粉、豆子、腌肉和土豆,甚至还有罐头,最重要的是有煤炭!如果我们愿意留下来看房子和东西的话,这些东西都可以免费使用！我们的马和牛就关在马厩里。我告诉他明天一早就给他回话，你想住下来吗，卡洛琳？"

全家人都看着妈，想听听她的意见。罗拉简直太开心了，都有点站不住了，能留在银湖了！不用回东部了！看得出来，妈觉得有些失望，因为她很想回到东部有人定居的地方去。不过妈还是说："查尔斯，这件事情好得简直不像真的，你说那里有煤？"

"是的，如果那里没有煤炭的话，我肯定就不会考虑留下来了。"爸说。

"嗯，咱们先吃饭吧，要不然一会儿就要凉了，"妈说，"这确实是一个很好的机会，查尔斯。"

在餐桌上，他们一直讨论这件事情，想想以后就能住在一间暖和舒适的屋子里，真让人非常开心。现在的这间小屋，尽管屋门紧闭，而且屋里也生着火，不过还是很冷，一丝丝的凉风从门缝里吹进来。

"要是住在那间小屋里，我们就会有一种很富裕的感觉，不是吗，难道？"罗拉欢快地说着。

"罗拉，这句话要说成'难道不是吗？'"妈说。

"噢，难道不是吗？妈，你想想屋里储备了那么多过冬的东西，是不是感到特别富裕呀？"罗拉说。

"这样，我们在春天来临之前就不用花钱了。"爸说。

"罗拉，你说得对，确实会让人感到富裕，"妈终于展开了笑容，说，"查尔斯，你也说得对，我们要留下来，这是难得的机会。"

"可是，卡洛琳，我还有一点担忧，"爸说，"虽然留在这里可以节省很多钱，不过也有一些弊端。我们留在这个荒野的地区也许会有点麻烦，因为最近的有人居住的地方是布鲁金思，离这里六十英里远呢！如果我们有什么事情的话……"

就在这时,屋子外面有人敲门,大家都被吓了一跳。爸说了一声"请进",就看见一个大块头的男人走了进来。他穿着一件厚外套,还围着围巾,下巴上长满了黑黑的胡子茬,脸颊被冻得通红,一双眼睛又黑又亮,就好像印第安人的小宝宝的眼睛一样。罗拉一直都没有忘记那双黑亮的眼睛。

"啊,是波士德先生,"爸说,"请赶快到炉火这边来暖和一下,今天好冷啊!波士德先生,这边是我的太太和女儿们。"然后爸向妈和罗拉她们介绍了波士德先生:"他已经在这里登记上了一块放领地,一直在铁路上工作。"

妈搬了一把椅子放在炉火旁,请波士德先生坐下烤烤火,他的手上还缠着绷带。妈问他:"你的手受伤了吗?"

"只是扭了一下,不碍事的,夫人,"波士德先生说,"现在烤烤火就觉得舒服多了。"

然后他对着爸说:"英格斯先生,我遇到麻烦了,需要你的帮助。你应该记得我卖给过皮特一匹马吧,当时他只给我了一部分的钱,说下一次发工资的时候就把余款给结清了。不过他一直到现在都不肯给我钱,一直拖着,我觉得他在预谋带着马逃跑。我必须去要回我的马,但是他和他的儿子在一起,他们又不是什么讲理的人,很可能会跟我打架。我不想一人对付他们两个家伙,而且我的手还受着伤。"

"没关系的,波士德先生,我们这里还有足够的人手去帮你要回马。"爸说。

"我不是那个意思,"波士德先生说,"我并不想惹麻烦,不想打架。"

"那要我怎么帮你呢?"爸问。

"我是这么想的:这个荒郊野地并没有法律,也没有警察和政府。

但是皮特可能并不了解这里的情况。"

"哈哈,我明白了!"爸大笑着说,"你是想让我弄几份法律文件去吓唬一下那两个家伙?"

"我已经找到一个人来假扮治安长官,然后就拿着你弄好的法律文件去找他们。"波士德先生笑着说。他和爸的眼睛都很亮,不过又有一些区别,因为波士德先生的眼睛是小而黑亮的,爸的眼睛则是蓝色的大眼睛。

爸用手拍着膝盖,忍不住哈哈大笑起来,说:"这真是够有趣的!现在我这里正好有一些法律函的信纸,我来帮你弄法律文件吧!波士德,你赶快去找你的治安长官吧!"

就这样,波士德先生匆忙地走了。妈和罗拉赶快收拾好桌子,爸拿出一张上下都有红线的信纸,铺在桌子上开始写东西。

过了一会儿,爸就弄好了,说:"嗯,这个东西真的很像一份重要的文件,而且必须立刻执行!"

波士德先生很快就回来敲门了,爸打开门,罗拉看到有一个看不清长相的男人站在波士德先生的旁边,他把自己包裹得严严实实的,身上穿了一件宽大的外套,头上戴着一顶便帽,帽檐拉得很低,遮住了眼睛,脖子上还围了一条围巾,一直把鼻子嘴巴都围住了。

"你就是治安长官吧!"爸对那个男人说,"请赶快执行这份重要文件,回来时要么带着马要么带着钱。注意,不管马怎么样,都要向他收取诉讼费!"

三个男人全部哈哈大笑起来,好像连小屋都被震动了。

爸看着那个包裹得很严实的男人,说:"今天晚上真冷啊!治安长官,祝你马到成功!"

然后波士德先生与那个男人就离开了,爸对妈说:"刚才那个人就

是测量员的领导,要是我认错人的话,我宁愿吃掉这顶帽子!"说完,他一拍大腿,哈哈大笑起来。

半夜,罗拉被波士德先生与爸的说话声吵醒了,她听到波士德先生站在门口说:"英格斯,我看见你们的屋子里还点着灯,就过来告诉你一声,那个方法非常管用!皮特被吓坏了,钱和马都乖乖地交了出来。他这么害怕法律,还算识相。这就是他交出的诉讼费,测量员不肯拿这些钱,他说能惩罚那个不怀好意的家伙比拿钱有意思多了!"

"他那份你拿着吧,"爸说,"我就拿自己那份好了。本法庭的威严必须维护!"

波士德先生不禁开怀大笑,罗拉、玛丽、凯莉,甚至连妈都忍不住笑了起来。爸的笑声非常洪亮,听着温暖快乐,而波士德先生的笑声则非常滑稽,让人忍不住想跟着一起笑出声来。

"嘘!你们小点声,别吵醒葛丽斯。"妈说。

"到底有什么好笑的事情啊?"凯莉问道,她才刚刚醒来,就听到了波士德先生的笑声。

"你不知道,怎么还跟着一起笑啊?"玛丽问。

"因为波士德先生笑得太有趣了!"凯莉说。

到了第二天早上,波士德先生来到家里吃早饭,因为营区拆除了,食堂也早就关门了,除了这里之外,他找不到别的吃饭的地方。测量员在这一天套着马车走了,他们回东部过冬去了,最后的马车队已经走了。波士德先生是最后一个走的人,因为他的手现在还不能驾驶马车。头一天晚上他的手又被冻着了,到了早上变得更糟糕了一些,不过他并不介意,仍然出发去了东部。因为他要去艾奥瓦州结婚。

"如果你们一家人都留在这里过冬的话,我也想把我的妻子带过来,到这边过冬。不过我们得在冬天来临之前就结婚。"波士德先生说。

"要是你们能过来就太好了,波士德。"爸说。

"是啊,有你们做邻居,我们会非常高兴的!"妈说。

他们一起送波士德驾着马车离开,一直听着车子的颠簸声消失在去往东部的路上。

如今,这个草原上就真的再没有别人了,寒冷的天空中连一只鸟都看不到。

波士德先生的马车慢慢消失了,爸就去牵马走到门口,高声喊着:"卡洛琳,快来吧! 整个营区就剩下我们一家了! 今天我们就搬家过去!"

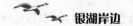

第十四章　测量员的小屋

　　测量员的小屋离这里特别近,都不到半英里,所以罗拉她们就稍稍收拾一些需要用的东西就可以了。罗拉非常想去看看那间小屋,她几乎等不及了。她帮忙把需要装的东西都搬到马车上,然后看着妈、玛丽、凯莉和葛丽斯上了马车,她对爸说:"爸,我能先过去看看那个小屋吗?"

　　"罗拉,你得说'可不可以',"妈说,"查尔斯,你不觉得她……"

　　"放心吧,卡洛琳,她不会出什么事儿的,"爸宽慰妈说,"她不会跑远的,我们一直都能看着她。你就沿着银湖的岸边走过去吧,我爱操心的姑娘。卡洛琳,你放心好了,就像小羊摆两下尾巴那么短的时间里,我们就到那儿了。"

　　罗拉跑到了前面,寒风吹起她的围巾,她感到一股冷意穿透了她身上的衣服。刚开始她觉得很冷,不过随着她的奔跑,她很快就觉得脉搏跳得更加有力,她大口地呼吸着新鲜的寒冷空气。

她从原来建造营区时被破坏的土地上跑过,这些地方因为草都被压死了而变得坚硬粗糙。这里一个人都看不到,整片的大草原,无边无际的天空,风轻轻地吹着,显得那么清爽。

罗拉跑得很快,把马车甩到了后面,不过它正在赶过来。罗拉回头看看,爸向她挥挥手。她静静地站在这里,听见风吹过草丛发出了沙沙声,湖水在轻柔地拍打着湖岸。她就在已经枯萎的草地上跳着,因为这里已经没有别人了,罗拉可以随心所欲地大叫:"它是我们的!都是我们的!"

尽管罗拉已经用尽了全身的力气大喊,不过这声音并没有传播太远,也许是被风吹散了,也许是宁静的草原和天空把声音都吸收了。

草地上被踩出了一条小路,正是通往测量员的小屋的。罗拉觉得走在上面非常平滑而柔软,她低着头,顶着风一路跑过去,能第一个看看测量员的小屋,这非常有趣!

罗拉突然就看到了那间小屋,它很大,而且非常坚固。它有两层楼,安着玻璃窗,屋子外面的木板都已经褪色了。如爸所说,这间小屋的缝隙都用木条钉上密封起来了。屋门上有一个瓷质的把手,开门进去后就是耳房。

罗拉轻轻地走了进去,然后关好门,门脚在地板上划出了一条弧形的痕迹。罗拉觉得这间小屋的木地板并没有原来他们的小屋的泥土地那么舒服,不过木地板容易打扫一些。

这间宽敞的小屋好像正在等着罗拉,它知道罗拉来了,却不知道该怎么对待她,所以它保持着沉默,看看罗拉到底要怎么样。风吹到外面的墙壁上,发出了孤独的声音。罗拉轻轻地走过耳房,打开了里面的屋门。

罗拉打量着这间很宽敞的房间。房间墙壁的木板是黄色的,一些

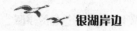

柔和的阳光从窗户里照射进来,投射在地板上。一点显得很冷的光线从前门那边的窗户那里透射进来。测量员们留下来炉灶!这个炉灶比她们从梅溪那里带过来的那个还要大,还要好。炉子上面有六个盖子,还有两扇灶门和一根烟囱。

在炉子后面的墙壁上有三扇紧闭的门,罗拉轻轻地走过去,打开了第一扇门,里面是一个小卧室,放着一张床,还有一扇窗户。

罗拉又轻轻地打开第二扇门,她吃了一惊,看到一段陡峭的楼梯延伸到上面,是和那扇门一样宽的楼梯。罗拉顺着楼梯向上看,能看到屋顶就在上面。她沿着楼梯走上去,看到楼梯的尽头就是一间大阁楼。阁楼有下面的房间两个那么大,两边的墙壁上各有一扇窗户,所以光线十分充足。

罗拉从楼梯处退了回去,她已经看了两个房间,现在还剩下一扇门没有打开过。罗拉认为这里肯定住着很多测量员,要不然怎么会有这么多房间呢?这间小屋是罗拉住过的最大的房子。

罗拉打开第三扇门,开心得大喊起来。也许小屋都被吓了一跳呢!原来,第三扇门里几乎是一个小小的杂货店,摆了高低的架子,上面放着很多盘子、碟子、锅和壶,甚至还有罐头。在架子下面,放着几个大木桶和箱子。

第一个大桶里装满了面粉,第二个桶里是玉米粉,接下来的是第三个桶,盖子扣得非常紧密,罗拉用力打开后看到里面是棕色的盐水,水里浸泡着满满一桶腌肉!罗拉从来没有见过这么多腌肉放在一起。还有个箱子里是苏打饼干,一个箱子里是咸鱼,还有两口袋土豆和一口袋豆子。

这时,罗拉听到马车过来了,她跳着跑出去,大喊道:"妈,妈!快过来看啊,这里有很多好东西呢!还有一个阁楼,玛丽!快来啊,还有

炉子和饼干！"

　　妈走进小屋查看了所有的房间和东西，她也很开心，说："这个房子真不错，而且很干净，我们很快就能住下来了。凯莉，递给我扫把。"

　　爸连安置炉灶都省去了，他把妈带过来的炉子放在耳房里，储存好的煤炭也在那里。爸很快就在房间里生起火来，她们赶快把桌椅板

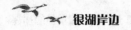

凳都摆好。妈帮玛丽把摇椅放到炉火旁,那里十分温暖舒适。玛丽就坐在摇椅上,抱着葛丽斯哄她玩,让妈、罗拉和凯莉好好干活儿。

妈在卧室的床架上铺好一张床,把她和爸的衣服都挂到墙上,然后用一张干净的床单盖好。罗拉和凯莉在上面的阁楼上铺好两张床,一张是凯莉睡的,另一张是罗拉和玛丽睡的。然后她们搬上自己的衣服和箱子,把衣服挂好,箱子整齐地放在窗户下面。

很快,所有的东西就都收拾好了,她们就下楼帮着妈一起准备晚饭。爸搬了一个大而浅的箱子进来了。

"查尔斯,这是什么?"妈问。

"这就是葛丽斯的小床!"爸说。

"啊,这个真是太及时了,我们就缺这么一个东西!"妈开心地说。

"你看箱子的四面不高不矮,正好能让葛丽斯盖着棉被躺在里面。"爸说。

"而且高度刚刚好,白天就能放到我们的床下,丝毫不会占地方。"妈说。

罗拉和凯莉在那个箱子里为葛丽斯铺好了床,然后推到床下,到了晚上睡觉的时候再拉出来就可以了。这样,搬家的事情就全都完成了。

今天的晚饭非常丰盛。测量员们留下的盘子很漂亮,让餐桌看起来令人愉快。还有一小罐腌黄瓜,配着烤鸭和烤土豆吃非常美味。等晚饭吃完之后,妈去了那个装满了食品的房间,拿出一个东西,对大家说:"你们猜猜我拿来了什么?"

原来,她拿来的是黄桃罐头! 她给每个人都盛了一小碟罐头,再配上两块苏打饼干。"今天我们来好好地吃上一顿,庆祝我们住进了这么好的房子里!"妈说。

　　罗拉一边吃着,一边仔细打量着这所房子。这里非常宽敞,地板和墙壁都是木制的,还有在夜色里泛着灯光的玻璃窗。能在这间房子里吃饭真幸福,每个人都慢慢地吃干净那一碟又滑又凉的桃子,用勺子喝净那金黄色的香甜果汁,最后把勺子舔干净。

　　然后罗拉和凯莉收好餐具,在餐具室里洗干净,这里非常方便。他们把桌子的伸缩板放下来,把明亮的油灯放到桌子的中间。妈抱着葛丽斯坐在摇椅上,爸说:"这个时侯最需要来一些音乐了!罗拉,快把我的小提琴盒子拿过来。"

　　爸拿出小提琴,紧紧琴弦,调好音准,在弓上涂了松脂油。这个时候,天完全黑下来了,爸看看他的妻子和女儿们,又看看这个收拾得非常舒服又温暖的家。

　　"我在想,能在哪里弄到一些布来做个窗帘。"妈说。

　　爸把弓搭在了琴弦上,说:"卡洛琳,你没有想过吗?我们东边有六十英里没有人烟,西边有四十英里无人居住。等冬天来了,他们只会搬得更远一些,这里的草原都是我们的!我今天只看过一群大雁飞过,它们飞得很快,不会留下来休息过夜的,因为它们必须尽快赶到南方去过冬。我觉得这是这个冬天以来,我看到的最后一群大雁了!你看,就连大雁都离开了我们,我们是这里的主人!"

　　爸轻轻地拉着小提琴,罗拉跟着琴声唱了起来:

　　　　一个狂风大作的晚上,
　　　　阵阵狂风吹过田野,
　　　　年轻的玛丽抱着孩子,
　　　　流浪着回到了父亲的门前,
　　　　噢,父亲,请让我进去,她哭着说,

您可怜可怜我怀里的孩子，

他就快要奄奄一息，

狂野的暴风会要了他的性命。

不过她的父亲没有听到敲门声，

屋子里看不到任何声响。

看门的狗正在大叫，

教堂的钟声敲响了，

一阵阵狂风吹过狂野

……

罗拉唱到这里的时候，爸停了下来，说："这首歌显然不适合，我刚才不知在想些什么！好了，你们跟着唱这首歌吧！"

一阵欢快的曲子传出来，爸也跟着唱起来，还有罗拉、玛丽和凯莉也一起唱着：

这么多年，我流浪远方，

遇到无数的挫折和忧伤，

无论我在什么地方，

都应该勇敢前进！

我对生命的索求不多，

也不在乎情债几何，

我抛开生命里的种种纷争，

只想前进，不回头望。

请你学会爱身边的人儿，

无论周游在那个地方，

也不要流泪不要哀伤，

勇敢前进，不回头望。

"我们这个冬天会一直这么快乐，唱着欢乐的歌曲，"爸说，"以前我们总是这样，对吧，卡洛琳？"

"是的，查尔斯，"妈说，"而且我们从来没有储备过这么多的食物，从没有住得这么舒服过。"

"是啊，这里的一切都非常舒适迷人，"爸说着给小提琴调整音准，"我把那些燕麦口袋都堆在了马厩的一边，这样牛和马就能在里面活动一下了。它们也有足够的饲料吃，而且马厩里也同样温暖。处处都是这么美好，我们要对这一切都心存感激。"

说完，爸又开始拉小提琴，快步舞曲、里尔舞曲等各种舞曲一首首地响起来，小屋里充满了欢乐的气氛。妈把熟睡的葛丽斯放进她的小床里，然后关好卧室的门，坐回摇椅里听着音乐。她们一直听着这些乐曲，心中都在跟着一起唱。大家都没有想去睡觉的意思，因为这是值得纪念的第一个晚上，这片大草原上就只有他们一家人。

夜深了，爸收起小提琴，当他盖上琴盒的盖子时，一声长长的、哀伤的嚎叫声从黑夜里传来，而且离小屋很近。

罗拉吓得跳了起来，妈赶快去卧室抱着吓醒的葛丽斯，凯莉沉默地坐在椅子上，苍白的小脸上那双大眼睛里，充满了惊恐的神色。

"凯莉别害怕，那只不过是狼嚎。"罗拉说。

"别害怕，"爸说，"要不然别人还会以为你们从来没有听过狼叫呢！卡洛琳，还有孩子们都不用担心，小屋很坚固，马厩的门也关得很严密，没事的。"

第十五章　　最后离开的人

　　第二天早上,阳光非常好,不过寒风依旧,而且更冷了,空气里可以嗅到暴风雪即将到来的气息。爸去马厩做了杂活儿,正在炉火旁烤手,妈和罗拉在摆早饭,这时一辆马车驶过来了。

　　马车在小屋的门口停下来,驾车的人在外面喊着什么,爸赶快走了出去。罗拉从窗户那里看出去,他们正在外面说着什么。

　　一会儿之后,爸走了进来,穿上外套,戴好手套和帽子,说:"卡洛琳,我都不知道其实我们附近还有一位邻居,他是一个孤独的老人,身体不好。我这就去他家看看,然后再回来告诉你们情况如何。"

　　爸上了那个人的马车一起走了,很久之后他才走路回来。

　　"今天好冷啊!"爸走进屋里说着,脱下外套和手套放在椅子上,然后在炉火旁烤手取暖。等到他觉得暖和一些了,才摘下围巾,说:"你们不用担心了,事情已经解决了!"

　　"刚才那个赶马车的人是最后一个离开这里的人,他从吉姆河那边驾着马车走过来,沿途没有碰到一个人。直到昨天晚上,他看到铁路路基北边两英里远的地方有灯光射出来,他就赶着车过去想借宿一夜。

"他发现那是一间非常简陋的小屋,里面就住了一位生病的老人,他叫乌沃兹。他患有肺病,就到这个草原来治病的。他已经在这里住了一个夏天了,现在他也不愿离开,想在这里过冬。

"不过他的情况可不怎么好,身体虚弱,屋子又单薄。那个赶车的人就想带他离开这里,去找老人的家人去。赶车人跟老人说,这是他离开这个寒冷的草原的最后一个机会,可是无论赶车人怎么劝说,乌沃兹就是不肯离开。赶车人在早上看到了我们的房子冒出的炊烟,他就过来寻求帮助,想看看能不能找个人帮他一起劝老人离开草原。

"卡洛琳,那个老人瘦极了,却依然保持自己的想法,想留在草原上治病,他说那是医生告诉他的治疗方法,肯定会有效的。"

"是啊,到处都有人来草原上治病。"妈说。

"是这样的,卡洛琳,"爸说,"我也在想,在草原上疗养身体,也许是治疗老肺病的唯一方法。不过卡洛琳,要是你看见了他,你肯定不觉得他独自留在草原上过冬是个好主意。他啊,瘦得完全变形了,就窝在那么一间简陋的小屋子里,周围离他最近的邻居也要有十五英里的距离。他应该去和家人住在一起的。

"我们劝了半天,到最后也不管他了,直接帮他收拾好东西放到马车上,我抱着他放到马车的棚里。他那么瘦,体重几乎和凯莉一样轻。最后,他终于同意走了,那个赶车人会送他到东部的家里,和家人住到一起。"

"可是这么冷的天气下坐马车赶路,他能熬过去吗?"妈说,然后往炉子里加了一些煤炭。

"他穿的很厚,外面的大衣非常暖和,然后还被我们用毯子裹起来,脚边还放了一些加热过的燕麦。我想他能坚持到东部,那个赶车的小伙子人非常好。"爸说。

罗拉一想到那个赶车人带着老人一起赶路,要走上整整两天才能到达大苏河,她才意识到这里是多么荒凉。从吉姆河到大苏河,就只剩他们一家人住在这里,就再也没有别人了。

"爸,你今天早上看到狼留下的脚印了吗?"罗拉问。

"我在马厩周围看到了很多狼的脚印,"爸说,"而且脚印都很大,估计是猎杀野牛的大狼。但是它们没能冲进马厩。现在这片草原的鸟都飞走了,经过了这个夏天的修建铁路工程,野羚羊群也被吓跑了,狼群也就得跟着离开了。它们不会待在没有食物的地方。"

吃过早饭之后,罗拉做完家务活就跟着爸一起去了马厩,她很想看看那些狼的脚印。

这些脚印好大、好深,罗拉从来没有见过这样的狼脚印,她能想到这些狼有多么高大强壮。"猎杀野牛的狼是草原上最大的狼,"爸说,"它们十分凶残,如果我没有带枪,绝对不希望遇到它们。"

然后爸仔细地检查了马厩,看看木板是不是都很牢固,为了以防万一,他又钉了一些钉子上去,马厩的门上加了一道门闩。"这样就是双保险了,哪怕一条门闩断了,还能有另外一条管用。"爸说。

罗拉在一旁帮忙,给爸递去钉子,然后爸把钉子钉好。这时下雪了,风吹着很猛,不过风是直着吹的,并不是暴风雪。天气非常寒冷,他们都冻得哆哆嗦嗦的,说不出话来。

等到了晚上,生着炉火的屋子里非常温暖,一家人围坐着吃晚饭,爸说:"我觉得这里的冬天不会太冷的,暴风雪都是从明尼苏达州那边过来的,我们现在是在更偏西的地方。我听说,每偏西三度就等偏向南方一度。"

晚饭之后,一家人在炉火旁烤着手,妈怀里抱着葛丽斯,在摇椅里轻轻地摇着。罗拉拿过小提琴的盒子,爸就拿出小提琴,如此温馨的冬日晚上就来临了。

爸一边拉着曲子,一边轻轻地哼唱着:

万岁! 哥伦比亚!
万岁! 我的英雄们!
我们要坚定和团结,
就在自由神像的周围,
我们就像兄弟一般,
我们会得到安定团结。

爸唱完之后看看玛丽,她坐在炉火旁的摇椅上,双手放在扶手上,那双美丽而空茫的眼睛望着爸这边。"我的玛丽,你想听一些什么曲子呢?"

"爸,我想听《高原玛丽》。"她回答。

爸先起了一个调子,然后招呼玛丽一起来唱:

茂密的树木绿色成荫,
山楂树开满美丽的花朵,
在花影之下,
我将她揽入怀中。
金色的时光与天使一起飞翔,
就飞在我和爱人的头顶,

她是我的生命阳光,

她是我的高原玛丽!

"真美啊!"玛丽赞叹道。

"这首曲子是很美,不过有点悲伤,"罗拉说,"爸,我想听《渡过黑麦河》。"

"好啊,"爸说,"不过我不想自己来唱,就我一个人沉浸在音乐里可不好,你们一起来吧!"

于是一家人一起唱起这首欢快的歌曲,罗拉站起来拉起裙子,好像要渡过一条小河那样,她转回头对着大家唱到:

每个姑娘啊,都有自己的情人,

可是她们总是矢口否认。

不过那位小伙子对我微笑,

就在我渡过黑麦河的时候。

然后,爸接上另一首欢快的歌曲,唱到:

我是海马号的船长金克斯,

我还敢用玉米和大豆来喂马,

我经常做些不用我来做的事,

我是海马号的船长金克斯,

我还是军队里的中尉!

这首曲子完了之后,爸就对罗拉点点头,罗拉就跟着琴声唱了起来：

> 我是漂亮的队长太太，
> 穿着漂亮衣服，
> 卷着长长的头发，
> 不过狂欢队长却暗自流泪，
> 他被踢出了军队！

"啊，罗拉，"妈惊呼了一声，转头对爸说，"查尔斯，这首曲子适合小姑娘唱吗？"

"没有关系的，只是一首歌曲罢了，"爸说，"好了，该凯莉唱歌了。你快到这里来，和罗拉一起唱这首歌曲。"

然后爸走过来教她们如何跳波尔卡舞曲，他拉起小提琴，罗拉她们就翩翩起舞，爸唱道：

> 先伸脚跟，然后是脚尖，
> 这是我们的舞步。
> 先伸脚跟，然后是脚尖，
> 这是我们的舞步。
> ……

爸拉着小提琴，节奏越来越快，女孩子们也越跳越快，脚迈得越来越高，进进退退，还转上一个圈，最后她们都跳热了，笑得接不上气了！

"好了，我的姑娘们，"爸说，"现在我们来跳上一曲华尔兹吧！"小提琴奏出了舒缓柔和的曲子，爸对她们说："你们要追随音乐的节奏，

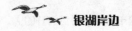

慢慢地转身舞蹈,要舞姿曼妙才好。"

罗拉拉着凯莉在房间里翩翩起舞,一圈又一圈地旋转着,慢慢地滑着舞步。葛丽斯原来是伏在妈的怀里睡觉,这时候也站了起来,睁大眼睛看着她们,咯咯地笑着。而玛丽则站在一边静静地听着这首舒缓的曲子。

"孩子们,你们跳得太好了!"爸说,"冬天里,我们就得多跳舞。现在你们都是大姑娘了,应该学会怎么跳舞,要不了多久,你们就能成为很棒的舞者。"

"爸,我还想再跳一会儿呢!"罗拉喊道。

"现在已经很晚了,"爸说,"你们得赶快上床睡觉了。在这个漫长的冬天里,我们可以有很多个这样的美好夜晚。"

罗拉打开通往阁楼的门,一股寒气瞬间飘了下来。罗拉手里拿着油灯,赶快上楼了,玛丽和凯莉就跟在她的后面。一根烟囱从楼下的炉灶上伸上来,散发着微弱的热气。罗拉她们靠着烟囱脱下衣服,哆嗦着穿上睡衣,赶快钻到被窝里,罗拉吹灭了灯。

玛丽和罗拉紧紧地抱在一起,过了一会儿,她们觉得好一些了,身体渐渐感到温暖。在这所温暖房子的外面只有寒冷的黑夜和高远的天空,那里只有不断咆哮的寒风。

"玛丽,"罗拉轻轻地说,"那些狼群应该已经走了,我今天没有听到它们的叫声。你听见了吗?"

"没有,我也希望它们都走了。"玛丽带着困意回答。

第十六章　冬　天

天气慢慢变冷，银湖水面冻冰了。虽然天上总飘着雪花，不过湖面上总是一片干净，因为大风吹走了雪花，吹到了大沼泽的荒草里，吹到银湖岸边的地上。

整个大草原披上了一层洁白的外衣，天地之间只有雪花飞舞着，狂风不停地怒吼着，其余一切都陷入了静止的状态。

而在罗拉他们居住的木屋里，是非常温暖舒适的，罗拉和凯莉在帮助妈做家务，葛丽斯在这个大房间里跑来跑去地玩耍着。如果她觉得累了，就爬到玛丽的腿上，玛丽会抱着她，给她讲故事。葛丽斯听着故事慢慢地睡着了，然后妈将她抱起放到火炉旁的小床上。然后妈和她的女儿们就一起做做针线活，度过一个美好舒适的下午。

爸一直忙着做一些零活儿，他在大沼泽那边放了很多捕兽器，每天他都要过去看看有没有收获。收获到猎物后，爸就在耳房里把狐狸、狼和麝香鼠的皮毛剥下，将皮毛好好安置。

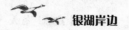

这片草原这么荒凉,还一直刮着大风,玛丽几乎不出门。她就喜欢坐在温暖的房子里,手里忙着针线活儿,每次都是罗拉帮她穿好针线,她就开始缝缝补补。

就是到了傍晚,天色已经很暗了,玛丽也不肯放下手里的针线,她说:"到了晚上你们看不到的时候,我还能缝衣服,因为我不是眼睛看,是用我的手指在看。"

罗拉听了钦佩地说:"玛丽,你做针线活儿一直都比我好,一直都是这样。无论怎样,你都很能干的。"

罗拉虽然也喜欢待在温暖的房子做针线活儿,然后与妈和玛丽聊聊天,真的很惬意,不过如果说让她像玛丽那样真正地喜欢做针线活儿,那还是有点难。她就是不能乖乖地坐在屋里待上一下午,她时常坐立不安,在屋子里走来走去,在窗户那里向外面张望着,看看雪花纷纷飞落,再听听风声呼啸。妈看着罗拉,说:"你的小脑袋里到底在想什么呢?我真想知道啊。"

只要风雪一停下来,太阳露出笑脸,不管天气多么寒冷,罗拉都会出去走走。如果妈答应的话,罗拉就带着凯莉,穿好外套、鞋子、戴好帽子、围巾,去银湖的冰面上滑冰。她们手拉手地跑上几步,然后就在平滑的、透明得能看到黑色湖底的冰面上滑行。她们用两只脚轮流滑冰,跑几步就滑上一大段路。她们就这么不停地跑啊滑啊,最后身上都微微发热、气喘吁吁的,两个人开心地大笑起来。

这种能出去玩耍的日子是最棒的,等她们玩累了就回到温暖的屋子里,吃着美味的晚饭,然后听音乐、跳舞,一家人其乐融融地度过美好的晚上。罗拉是所有人里最快乐的那个。

有一天,外面刮着暴风雪,罗拉不能出去玩了。爸带回一块大大的方形木板,他坐在火炉旁,在木板上画出了一个方格,然后在这个方格里又画了好几个小方格。

"爸,你这是在做什么?"罗拉问。

"你就等着瞧吧!"爸高兴地说。

他把火钳的尖头放在炉火上面烤,一直烤得通红为止,然后他拿出火钳把木板上画出来的小方格烧黑。

"爸,这到底是要做什么啊? 我快急死了。"罗拉说。

"你看起来好好的啊!"爸调皮地说。他坐在火炉旁一点一点地削木板,一共削了二十四个小方块。爸拿出十二块放到火炉上烧,还不时地翻动一下,等方块全部烧黑了再取下来。爸把所有的木块都放到木板的方格子里,然后把木板放到腿上。

"做好了,罗拉。"爸说。

"这到底是什么啊?"罗拉问。

"这些是棋子,这个是棋盘。你快搬一把椅子过来,我来教你怎么下棋。"

罗拉很快就学会了,而且学得非常好,在暴风雪结束之前,她居然赢了爸一局。不过后来他们就不下棋了,因为妈不喜欢,凯莉也不喜欢。所以爸就把棋盘放到了一边,说:"下棋只能有两个人参与进来,并不是太好的娱乐活动。我爱操心的姑娘,还是把我的小提琴拿来吧!"

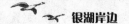

第十七章　银湖上的狼

一天晚上,暴风雪停息了,外面的草原一片雪白。从窗户那里能看到,月光倾泻在银湖上,反射出一片清冷的光芒。

在每扇窗户向外看,都是雪白无暇的世界,一片白茫茫地向远方延伸着,远处的天空就好像一道弧线一般。罗拉心里非常毛躁,她静不下心来,什么事情都非常缺乏兴趣,不想玩游戏,不想听音乐,不想跳舞。她总想动一动,十分想到外面去走一走。

突然,罗拉想到一个好主意,她对凯莉说:"我们现在去滑冰好不好?"

"罗拉,晚上还要出去滑冰?"妈惊讶地说。

"你看外面的月光多亮,"罗拉说,"跟白天的光线一样。"

"卡洛琳,就让她们去吧,"爸说,"不会出什么问题的,她们别在外面待太久就行了。"

妈就同意了,说:"好吧,你们就出去玩一会儿,然后快点回来,别冻着。"

罗拉和凯莉赶快穿上大衣,戴上帽子、围巾和手套。她们都穿着新鞋,鞋底厚厚的,而且袜子是妈用羊绒织成的,外面还用一根带子紧紧地绑在袜子的外面。大大的红色法兰绒内衣一直到膝盖那里,法兰绒的衬裙也很厚实暖和,外面穿的裙子和外套都是羊毛做成的,手套和帽子也是,都非常暖和。

她俩离开温暖的房间,走进了寒气逼人的草原上。她们顺着雪地上的脚印跑着,一直到马厩那里,然后再顺着牛马的脚印向前跑。这条路是爸带着牛马走出来的,他总是牵着它们去湖面那里,凿开一个洞来喝水。

"我们离冰面上的那个洞远一些。"罗拉说,带着凯莉沿着湖岸向前走,一直走到开阔的地方,整个银湖都展现在眼前。她们停下来,注视着眼前的一起。

好美的月色啊,她俩屏住呼吸,静静地看着眼前的美景。月亮又大又圆,银色的月光洒向雪白的世界,这片雪白向每个方向都无限延伸出去,处处都闪耀着柔和美丽的光芒。在这片美丽的月色中,黑色而平滑的银湖静静地躺在这里,一条闪亮的小路穿过湖面。岸边的荒草沾满了雪花,静静地站在那里。

从这里能看到马厩,就在湖岸地势较低的地方,小土坡上矗立着测量员的房子,一缕温暖的灯光从窗户中投射出来。

"好安静啊,"凯莉说,"你听,到处都是这么安静。"

罗拉的心里装得满满的,觉得自己已经融入了这片美丽的土地、深远的天空和迷人的月色之中。她好想飞起来,不过凯莉有些害怕,

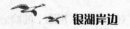

罗拉就拉着她说："来吧,凯莉,我们来滑冰! 跑啊!"

她们手拉手跑了几步,然后用右脚开始滑行,比平时的速度还要快一些。"凯莉,我们去那条月光小路上滑冰! 快啊!"罗拉喊着。

她们就这么一会儿跑一会儿滑,沿着那条月光小路越滑越远,向着银湖对岸的方向滑过去了。

她们的速度越来越快,就好像要飞起来一样。凯莉要是不太稳的话,罗拉就扶着她,帮她恢复平衡,而罗拉有时滑不稳的时候,凯莉就帮着平衡好身体。

她们一直滑到了对岸,湖边河岸投下了黑黑的影子,她们停下来休息。罗拉觉得湖岸有个什么东西,她不禁抬头看看。

原来,有一个黑色的影子就在月光之下,仔细一看居然是一只狼!

恰好那只狼也发现了她,正在和她对视。它身上的毛在风中轻轻地动着,月光好像穿透了它的毛皮似的。

"凯莉,我们回家吧,"罗拉赶快对妹妹说,"快点,看看谁滑得更快!"

然后她俩就向家的方向跑去,然后滑着,凯莉在后面气喘吁吁地说:"罗拉,我看见了,那是一只狼吗?"

"别说话,"罗拉说,"赶快滑!"

罗拉只能听到她们在冰面上奔跑和滑行的声音,她又听听后面是不是有声音传过来,不过并没有听到什么。她们就这么沉默地一直跑啊滑啊,终于到了那个凿开的洞旁边的小路上。她们跑上了小路,罗拉回头看看,后面什么都没有。不过她们可不敢停下来,还是一直向家里跑着,上了土坡,打开后面跑进耳房,然后又穿过耳房进入了大房间,啪的一声关上了门,靠在墙上大口地喘着气。

爸跳了起来:"你们怎么了? 到底是什么吓到你们了?"

"那是一只狼吗？"凯莉上气不接下去地问着。

"是的，爸，那是一只大狼，"罗拉也同样喘着粗气说，"是一只很大很大的狼。我还怕凯莉跟不上呢，幸好她跑得够快。"

这下，爸吃了一惊："它在哪里？"

"我不知道。后来它就不见了。"罗拉说。

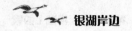

妈赶快脱下她们的衣服,让她们坐下来休息一下。

"你们在哪里看到那只狼的?"爸询问着。

"在湖岸上。"凯莉说。

"在湖对岸的河堤上。"罗拉补充说。

"怎么?你们两个跑得那么远吗?"爸吃惊地说,"看到狼以后又这么跑回来了?我真没想到你们能走这么远,足足半英里多的路程呢!"

"我们是沿着那条月光小路跑的。"罗拉说。

"真的吗?我疏忽了,还以为狼群都已经走光了,明天我就去查找一下,猎杀它们。"爸说。

玛丽的脸色苍白,她坐在那里喃喃自语着:"天啊,我的妹妹们,要是它追上了你们可怎么办啊?"

罗拉和凯莉坐下来休息,大家也都静静地坐着。罗拉觉得能回到温暖的房子非常高兴,把那些危险荒凉的野外都关在了外面。如果凯莉出了什么差错,她该怎么办啊!这都是她的责任,因为是她坚持带着凯莉出去玩的,而且还跑了那么远。

万幸的是,没有出什么问题。

"爸。"罗拉轻轻地叫了一声。

"怎么了,罗拉?"爸说。

"我希望你别去猎杀那只狼。"罗拉说。

"为什么啊?"妈惊讶地问。

"因为它没有追我们,"罗拉说,"爸,其实它可以追上我们的,不过它没有追。"

这时侯,屋子外面响起了一声长长的狼嚎声,然后慢慢消失了,接着又是另一只狼的回应,也慢慢消失了。

　　罗拉觉得心好像都掉出来了,她不自觉地站了起来。妈紧紧拉着她的手,罗拉觉得心里安慰多了。

　　"你这个可怜的孩子,看你紧张成什么样子了!"妈说,"不过也难怪。"

　　妈热好了两个熨斗,用布包起来,给凯莉一个。"赶紧去上床睡觉吧,这个给你,凯莉。"妈说,"这个熨斗是你的,罗拉,放到你和玛丽的中间,玛丽也能暖暖脚了。"

　　罗拉她们就上了阁楼,她关门时听到爸妈正在急切地说着什么,不过她没有听清。

第十八章　爸选好了放领地

　　第二天一早,爸吃了早饭之后就带着猎枪出门了。上午,罗拉一直注意听外面有没有枪声响起,她打心里不想听到枪声。她还记得那只大狼在月光之下注视她的样子。

　　到了吃午饭的时候了,爸还是没有回来,下午很久以后,他才走进耳房清理鞋子上冻结的积雪。他走进大房间,把枪挂好,然后脱了帽子和外套挂在墙上。他再摘下手套,挂在火炉后面的绳子上,这样手套一会儿就被烤干了。爸洗了手和脸,又对着镜子梳梳头发和胡子。

　　"卡洛琳,真对不住,让你和孩子们等我吃饭,"爸说,"我没想到会用这么长时间,而且我走得比预想得要远很多。"

　　"没事的,我一直热着午饭呢,"妈说,"孩子们,快来吃饭了!别让你爸等得太久。"

　　"爸,你走了多远啊?"玛丽问。

　　"大概得过了十英里吧,"爸说,"我追着那些狼的脚印走了很久。"

"爸,你猎杀那只狼了吗?"凯莉问,罗拉紧张得说不出话来。

爸对凯莉笑着说:"好了,你们都别问了,现在我来完整地告诉你们我的经历。今天早上,我走过银湖,就顺着你们昨天留下的脚印走。你们猜我在你们看到狼的那个河堤后面看到了什么?"

"你找到那只狼了?"凯莉说。

罗拉还是沉默着,她甚至忘了嚼嘴里的食物,就那么静静地听着。

"我看见了狼穴,"爸说,"那附近的狼脚印非常大,是我见过的狼脚印里最大的! 孩子们,昨天晚上那个狼穴里有两只大狼。"

玛丽和凯莉都吓得倒吸一口气!

"查尔斯!"妈害怕地叫道。

"现在你们才觉得害怕啊,"爸说,"这就是你们两个小姑娘做的事,直接跑到狼穴旁边玩耍,那里可有两只大狼啊!"

"这些狼的脚印都是新留下的,所有的痕迹都标明了它们在做什么。那是一个很老的狼穴了,而且从狼穴留下的痕迹来看,两只狼也很老了。我想它们已经在那里住了很多年了,不过今年冬天,它们并不是住在那里的。

"它们应该是昨天晚上才从西北方向赶过来,直接就去了它们的老巢穴。它们整晚都待在那里,不时地进去出来,应该是待到了早上,然后就离开了。我从那里追着它们的脚印走,沿着大沼泽向草原的西南方向去了。

"这两只老狼离开了巢穴之后就没有停留过,它们一直并肩奔跑,好像它们开始了一次长途跋涉的旅行,而且非常明确它们是要去哪里。我跟着脚印走了很久,最后确认它们已经走远了,不会有危险了,我才停下来。它们的运气不错,跑走了。"

罗拉深深地呼吸了一下,好像她一直忘记了呼吸似的。爸对罗拉说:"我敢肯定,它们走了你很高兴,对吧?"

"是的,爸,我很高兴,"罗拉说,"昨晚它们并没有追我们。"

"嗯,它们确实没有追你们。我实在想不通,它们为什么不这么做。"

"它们回到老巢做什么呢?"妈有些好奇。

"我猜,它们就是想回来看看吧,"爸说,"它们以前一定一直住在这里,在建设铁路路基的工人还没有到来之前,那个时候羚羊和野牛也没有离开。如今,它们只是回来看看自己曾经住过的地方,也许这之前它们就住在这里,生活了很多年。原来,这片草原上到处都是能猎杀野牛的大狼,不过现在都走了,这边也没有剩下一只。因为修建铁路,而且到这里居住的人越来越多,它们被迫向更西的地方迁徙了。要是我对野生动物的足迹没有辨认错的话,我就可以肯定,它们是从西部赶过来的,就在这里住了一夜,然后又赶回西部了。它们走这一趟就为了回老巢看看,住上一晚。要是说它们就是这个地方看到的最后一只猎牛的狼,我觉得非常正确。"

"天啊,爸,它们真可怜。"罗拉轻轻地说。

"好了好了,"妈说,"我们需要可怜的事情有很多,就别太注意这些伤人的野兽了。感谢上帝,昨天它们只是吓到了你们,幸好没有出什么更糟糕的情况。"

"卡洛琳,我还有一件事情要说,"爸说,"我有一个好消息要宣布!我已经找到放领地了!"

"天啊!爸,是真的吗?在哪里的?那块地好不好?"几个孩子都赶快询问着。

"太好了,查尔斯。"妈说。

爸吃完了盘子里的食物，然后推开餐具，喝了一点热茶，擦擦胡子，说："那块地很好，每个方面都不错。就在银湖和大沼泽交汇处的南边，沼泽在那里的西部拐了弯。沼泽的南边有些凸起，这样很适合盖房子。沼泽的西边有一座小山，过了小山就有成片肥沃的土地。牧草遍地都是。一个农场该有的一切那里都有。而且，那里离小镇很近，可以方便孩子们去上学。"

"我真高兴，查尔斯。"妈开心地说。

"这真有趣啊！"爸说，"本来我一直在寻找放领地，都好几个月了也没有找到合适的地方。可是，我们需要的放领地就在那里，要不是我追着那两只狼的脚印，一直从银湖走到大沼泽那里的话，肯定看不到这块土地。"

"如果你去年秋天就去登记，那就更好了。"妈有些担心地说。

"在这个冬天，还会有谁来这儿呢？"爸很有信心地说，"到了明年一开春，趁着别人还没有来这里，我就去布鲁金思登记放领地。"

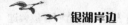
第十九章　秘密的圣诞礼物

　　现在每天都在下雪,柔软洁白的雪花一片片飞落下来。风停了,雪花就落在地面上,厚厚地积雪让爸出门的时候都要带上一把铁锹才可以。

　　"啊哈,这个圣诞节是雪白的呢!"爸说。

　　"是的,而且我们全家人聚在一起,都非常平安快乐,这真是一个幸福的圣诞节。"妈说。

　　在这所测量员的屋子里,到处都是小秘密——每个人都在为别人准备着圣诞礼物。玛丽织好一双暖和的厚袜子,准备送给爸做圣诞礼物。而罗拉呢,在妈的那个碎布包里找到一块合适的布,做了一个领结送给爸。然后玛丽、罗拉和凯莉三个还为妈准备了两份礼物——罗拉和凯莉用以前在小屋时的布帘给妈做了一条围裙,然后她们在碎布包里找到一块细致的白色棉布,罗拉剪裁好,玛丽用细密的针脚锁好边,这样就做成了一条手帕。她们把手帕放到围裙的口袋里,然后将围裙用纸包好,藏到玛丽的盒子里,放在玛丽做针线活用的碎布的最下面。这些都是她们在阁楼上偷偷完成的。

　　妈找到一块旧毛毯,毛毯的两头都有红绿条纹,而且显得很新。妈就在上面剪下一块,给玛丽做一双拖鞋。罗拉做了一只鞋,凯莉做了另一只,她们用一些毛线绳做成小穗子缀在上面,将这双拖鞋做得特别可爱。然后她们将拖鞋藏到妈的卧室里,玛丽根本就不知道这回事。

　　玛丽和罗拉商量着,希望能给凯莉织一双手套当圣诞礼物。但是她们只有一些零碎的毛线,一些白色的,一些红色的,还有一些蓝色的,不过每种颜色的毛线都不够织一双手套。"啊,我想到一个好主意,"玛丽说,"我们可以用三种颜色的毛线来织这双手套,手掌是白色的,手腕是红蓝相间的颜色!"

　　就这样,每天早上趁着凯莉在阁楼上铺床的时候,罗拉和玛丽就赶快织手套。凯莉下楼的声音一传过来,她们就赶紧把手套藏到玛丽的针线活儿下面。经过了几天之后,手套已经织好了,她们把它藏到玛丽的针线筐里。

　　在家人的这些礼物里,葛丽斯的礼物是最漂亮的,是所有的家人一起送给她的。他们在温暖的房间为她准备礼物,葛丽斯那么小,根本没有察觉到大家在忙什么。

　　妈在包裹里拿出了一块天鹅绒布,她小心翼翼的,因为天鹅绒非常珍贵,妈自己动手剪了一块下来,为葛丽斯缝制一个帽子。而罗拉和凯莉在碎布包里找到一块天蓝色的布料,可以当做帽子的衬里。妈将这块蓝色的布缝进了帽子里,这样帽子就很结实了。

　　然后妈又找出一块柔软暖和的蓝色羊绒布,是从妈以前最好的一件大衣上裁下来的,妈用这块布给葛丽斯做一件小外套。罗拉和凯莉

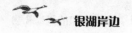

一起帮忙,缝好并熨好衣服,玛丽给衣服的下摆锁边,妈为衣服配上天鹅绒的衣领和袖口。

等衣服也做好了,就把它和那顶天鹅绒帽子配在一起,看起来好看极了。帽子的衬里和葛丽斯的眼睛一样蓝,她穿上一定很好看。

"真像给布娃娃做的衣服呀!"罗拉赞叹地说。

"葛丽斯比任何布娃娃都更可爱!"玛丽说。

"我们现在就给她打扮好吧!"凯莉喊着跳着。

不过妈没有同意,她要孩子们把衣服和帽子都收好,等到圣诞节再拿出来。如今,衣服和帽子只能等待明天早上再出来亮相了。

今天爸出去打猎了,他说会打到这里最大的长腿野兔来做圣诞大餐。他真的打到了!爸带回来一只她们从未见过那么大的长腿野兔。她们把野兔收拾好,放到耳房冷冻,等第二天的圣诞节来做烤兔肉。

爸去了马厩做杂活儿,回来的时候先跺跺脚,把鞋子上的雪都弄掉,然后掸掸胡子上的冰渣,再走到火炉旁烤火取暖。"圣诞节的前一天这么冷,可不是好事情,圣诞老人都冻得不敢出来了。"爸说着,对凯莉眨眨眼睛。

"我们都不盼望圣诞老人了,因为我们都知道……"凯莉说着,突然醒悟到自己在说些什么,赶快捂上了嘴巴,又看看玛丽和罗拉,看看她们有没有发现她都要把圣诞老人的秘密说出来了。

爸转身烤烤后背,然后开心地看着大家说:"今年这个圣诞节,我们住的地方处处都密封得很好,房间里这么暖和,我们都很舒适。还有我们的牛和马,它们待在马厩里也同样暖和,在圣诞节的前夜我还给它们多喂了一些好吃的,给它们过节了!这真是一个美好的圣诞节,是吧,卡洛琳?"

"是的,查尔斯,"妈说,把刚刚做好的热腾腾的一盆玉米浓汤放在桌上,然后倒好牛奶,"快来吃饭吧！查尔斯,吃上热乎乎的食物能让你暖和起来,比什么都管用。"

在餐桌上,一家人围坐在一起聊着过去的那些圣诞节。他们在一起已经过了很多个圣诞节了,如今又是一个圣诞节即将到来,而且这次他们非常温暖富足。罗拉想起自己放在阁楼上的盒子里,夏洛蒂正静静地躺在里面,那还是在威斯康星大森林里过圣诞节的时候,她在袜子里得到的礼物。

他们还聊起在印第安地区的时候过的圣诞节,那次玛丽和罗拉各得到了锡杯子和一枚硬币,哪怕将来这些礼物都不见了,他们也会永远记住爱德华先生的。就是他整整走了四十英里,从镇上带来了圣诞老人的礼物,与他们一起过了圣诞节之后,又一个人走回去了。爱德华兹先生离开了他们之后,他们就再没有他的消息了,他们真的很想知道他在哪里,很想再见到他。

"不管他走到哪里,我们都希望他能像我们一样幸运。"爸说。他们永远都会为他祈祷的。

"爸,你这次就好好地在我们身边,没有在暴风雪中迷了路。"罗拉说。然后全家人都陷入了回忆,想起在梅溪的时候,那个可怕的圣诞节,那几天爸都没有回家,她们都以为爸回不来了。

妈的眼中含满了泪水,她不想让大家看到她流泪,不过最终只能用手擦去泪水。大家装作没看到她流泪。"感谢上帝,查尔斯,你那次平安地回来了。"妈说,吸吸鼻子。

爸为了宽慰妈,大笑起来说:"老天也真会跟我开玩笑！我困在那里饿了三天三夜,只吃了一点点牡蛎饼干和圣诞糖果,几乎被饿死了！结果呢,我却待在我们那条小溪的堤岸下面,离家还不到一百码！"

"我觉得最快乐的一次圣诞节,就是看到'主日学校圣诞树'的那

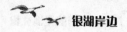

次,"玛丽说,"凯莉你一定不记得了,那时你太小了。不过,我还记得那次的经历,真是太美妙了!"

"不过这些都没有现在的这个圣诞节好,"罗拉说,"现在凯莉已经是大姑娘了,而且我们还有了小宝贝葛丽斯。"

上次的野狼没有伤害到凯莉,她好好地坐在那里。妈抱着最小的孩子葛丽斯,她有一头阳光般的金发,还有一双紫罗兰一样美丽的眼睛。

"嗯,我也觉得这个圣诞节是最好的,"玛丽说,"到了明年,也许这里也会有主日学校的。"

现在大家都喝完了碗里的浓汤,爸喝干净最后一滴牛奶之后,倒了一杯热茶喝。他对大家说:"这次我们不能有圣诞树了,因为银湖这里没有树,就连灌木丛都没有。不过我们也并不真的需要,因为就咱们一家人过节,没有客人来。玛丽,我们倒是可以自己办一个主日学校的仪式。"

晚饭后,罗拉去洗了碗盘并放好,爸拿来小提琴的盒子,调好音,然后在琴弓上抹上松脂。

玻璃窗上的冰霜更厚了,门缝里也结满了冰霜。外面的雪下得很大,积雪很深。屋子里的油灯在红白相间的桌布上明亮地闪着光芒,炉火从打开的灶门里熊熊燃烧着。

"我们刚吃过饭,先别唱歌了,"爸说,"我来拉几首曲子给你们听。"

爸用小提琴奏出《到俄亥俄河的下游去》和《铃声响得如此欢乐》,还有:

叮叮当,叮叮当,铃儿响叮当,

我们滑雪多快乐,

我们坐在雪橇上!

几首曲子之后,爸停下来笑着对她们说:"我的姑娘们,你们准备好唱歌了吗?"然后爸拉着小提琴改变了一个调子,是一首圣歌。他们一起唱了起来:

破晓的阳光带来光明,

美好的时代已经来临，

在这个全新的清晨里，

全世界都在苏醒。

每个国家的人民都来到这里，

我们一起登上主的山峰，

主教导我们明白他的旨意，

我们会向着他一直前进。

这时候，小提琴的音调有些乱了，爸好像在随意抒发着自己的思绪。过了一会儿，小提琴又奏出了柔和的旋律，大家跟着一起唱：

在温暖的阳光下，小草探出头，

清莹的露珠滋润着朵朵鲜花，

一双双明亮的眼睛啊，

看着这初秋的太阳。

看看这真诚的微笑，

听听这温柔的话语，

比夏日更温暖，

比露珠更闪亮。

世界精美的艺术，

给予我们的并不多，

黄金和宝石，

也不能慰藉人们的心。

但是人们啊，

如果聚集在圣坛的火炉之前,

那真诚的微笑,那温柔的话语,

世界如此美好!

突然,琴声中伴随着玛丽的一声惊呼:"你们听,什么声音?"

"玛丽,你听到了什么?"爸问。

"我好像听见了……你们听!"玛丽说。

他们都认真地听着,油灯里噗噗地响着,炉子里的煤炭也在轻轻地裂开。他们透过结满了冰霜的窗户向外看着,外面的雪花纷纷扬扬地下着。

"你听到什么了,玛丽?"爸问。

"好像是,好像是……你们听,又响了。"

这次他们都听到了,从外面的黑夜中传来了一个男人的叫声,一遍又一遍地喊着。而且声音离木屋非常近。

妈吓了一跳:"那是谁啊,查尔斯?"

第二十章 圣诞节前夕的客人

爸赶快放好小提琴,然后打开门,在寒冷的空气中雪花飞了进来,外面响起了一个男人沙哑的声音:"嗨……查尔斯!"

"天啊,是波士德!"爸喊道,"快请进! 快请进!"他赶快穿上外衣帽子,就跑到了外面。

"这种天气赶过来,他肯定快冻僵了!"妈喊道,赶快往火炉里加些煤炭。这时,门外就传来了他们的说话声和波士德先生特有的大笑声。

爸从外面打开门,对着妈喊道:"卡洛琳,是波士德先生和他的太太! 现在我和波士德去把马栓到马厩去!"

妈赶快把波士德太太迎进来,她身上穿着厚厚的大衣,还裹着一条毛毯。她在妈的帮助下,一层层脱下了衣服。妈说:"请快来烤烤火,你肯定冻坏了吧!"

"没有啊,"波士德太太愉快地回答,"我坐在马车里挺暖和,而且罗伯特还给我裹了毛毯,所以一点不冷。后来他还给我牵马,所以我的手也不冷。”

“不过这条头巾还是结冰了,”妈说,解下了波士德太太头上的那条长长的结了冰的头巾。波士德太太的脸从皮毛边的帽子里露出来,她看起来非常年轻,比玛丽大不了多少。她拥有一头浅棕色的的长发,还有一双长着长长睫毛的蓝色眼睛。

“你是骑马过来的吗?”妈问。

“不是的,本来我们是坐雪橇来的,不过雪橇和马都陷进积雪里了,”她说,“后来罗伯特把马拉出来,我们就骑着马走了最后的两英里路。雪橇就只好留在那里了。”

“是啊,”妈说,“大沼泽的荒草顶上全都是积雪,你们根本就辨认不出来哪里是路。那些荒草根本就承受不了任何重量,你们自然会掉下去。”妈为波士德太太脱下外套。

“波士德太太,请坐在我的椅子上,那是最暖和的地方。”玛丽说,不过波士德太太说她想坐到玛丽旁边。

这时,爸和波士德先生回到了耳房,重重地跺脚,把鞋子上面的积雪都抖掉。波士德先生大笑着走进了房间,接着房间里的每个人都跟着笑起来,就连妈也不例外。

“我也说不出为什么,”罗拉对波士德太太说,“我们都不知道波士德先生在笑什么,不过听到他的笑声,我们就忍不住……”

波士德太太也在笑,她说:“这笑声就具有传染性的!”

罗拉看着她那双笑意盈盈的蓝眼睛,觉得这个圣诞节一定非常美妙。

妈准备做一些饼干。“嗨,你好呀,波士德先生,”她说,“你和你太太肯定饿坏了,马上就可以吃晚饭了!”

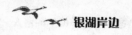

罗拉拿几条腌猪肉放在煎锅里炸到半熟,妈把做好的饼干放进烤箱里烘烤。然后,妈把腌猪肉捞出来把油滤掉,再裹好面粉放在锅里煎。罗拉在一旁削土豆皮,然后切成片。

"我来做煎薯片,"妈在放食物的那个小房间里,对罗拉说,"我再调一些奶油肉汁,然后煮一壶茶。这样晚饭就可以了,不过礼物怎么办呢?"

罗拉还没有想起这个问题,他们没有能送给波士德和他太太的礼物。妈拿了东西就去煎薯片、调奶油去了,罗拉就去摆餐桌。

等吃完了晚饭之后,波士德太太说:"这是我吃过的最愉快的一餐。"

"我本以为你们春天才会过来,"爸说,"在冬天就走这么远的路,很危险呢!"

"我们也知道这一点,"波士德先生说,"不过啊,英格斯,我得告诉你,到了明年春天很多人都会来这里的,整个艾奥瓦州的人都会来。我们得提前赶来,否则就会有人抢走我们的放领地的。就这样,我们不顾天有多冷就来了。英格斯,你应该去年秋天就去登记放领地。现在,等春天来了所有人都得去抢,你很快就会发现一块土地也没有了。"

爸妈相互看了一眼,他们都在想爸找的那块土地。不过妈说:"不早了,大家早点休息吧,波士德太太肯定累坏了!"

"我是累了,"波士德太太说,"一路赶过来真难啊! 到最后我们不得不放弃了雪橇,骑着马走过来,在暴风雪之中看到了你们房间照出来的灯光,我们真是太高兴了。当我们走近的是,听到你们正在唱歌,觉得动听极了!"

"卡洛琳,你和波士德太太去我们的房间睡,我和波士德先生就在炉火旁打地铺,"爸说,"现在我们再一起唱首歌,孩子们就该去睡觉了。"

爸拿出小提琴,调好音,说:"唱什么歌呢,波士德?"

"《普天圣诞快乐》。"波士德先生说。他唱男高音,爸唱男低音,波士德太太唱女中音,罗拉和玛丽都唱女高音,妈唱女低音,凯莉稚嫩的童声也加入了合唱:

圣诞快乐,普天圣诞快乐!

清脆的钟声响彻云霄,

圣诞的铃儿响,

风轻轻带来圣诞节的芳香。

为什么我们如此快乐地歌唱,

如此充满感激地歌唱,

是因为我们看见了太阳,

灿烂地照耀着大地!

灿烂的光芒引导着孤独的流浪人,

灿烂的光芒安抚了受伤人的心灵,

主引导着所有的信徒,

安享完美的宁静。

"晚安! 晚安!"大家相互说着。妈跟着罗拉她们上楼了,她拿下凯莉的床垫给爸和波士德先生用。"他们带来的毯子都湿了,"她说,"你们三个姑娘今天睡一起吧!"

"妈,礼物该怎么办啊?"罗拉轻轻地说。

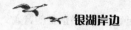

　　"别想了,罗拉,我会有办法的。"妈也轻轻地说,然后她大声地对她们说:"好了,孩子们,你们赶快睡觉吧! 晚安!"
　　波士德太太在楼下轻轻地唱着:

　　　灿烂的光芒引导着孤独的流浪人,
　　　灿烂的光芒安抚了受伤人的心灵,
　　　……

第二十一章　幸福的圣诞节

第二天一早,爸和波士德先生就出去干杂活儿了,罗拉听到他们关门的声音后就赶紧起床。她哆嗦着穿上衣服,然后下楼去帮妈准备早饭。

不过波士德太太已经在那里帮忙了,炉灶里的火非常旺,房间里很暖和。锅里煮着香浓的玉米浓汤,茶壶里煮着茶。餐桌上已经摆好了碗盘刀叉。

"圣诞快乐!"妈和波士德太太对罗拉说。

"圣诞快乐!"罗拉说着,惊讶地看着餐桌。原来在每个座位的前面,都摆好了碗盘,倒扣在刀叉之上,不过盘子的上面都有一个小小的包裹,有大有小,有彩色棉纸包好的,有素色的纸包成的,不过上面都用彩色的缎带系好。

"罗拉,昨天晚上我们都没有挂上袜子,"妈说,"所以在吃早餐之前,我们来拆礼物。"

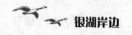

罗拉跑回楼上,跟玛丽和凯莉说了餐桌上摆满了礼物的事情。"妈知道我们把礼物藏到了哪里,所以她都能拿了出来。不过她不知道我们也为她准备了礼物,"罗拉说,"现在这些礼物都已经摆在桌子上了。"

"但是我们不能拿那些礼物,"玛丽惊慌地说,"要不然就没有礼物送给波士德先生和他的太太了!"

"妈会解决这件事的,"罗拉说,"昨晚她就跟我说过。"

"她能有什么办法啊?"玛丽说,"我们根本就不知道他们会来,我们没有准备东西给他们啊!"

"你不用担心了,妈会解决的。"罗拉说着,把送给妈的礼物从玛丽的箱子里拿出来。在她们下楼的时候,罗拉就背着手拿着那份礼物,凯莉站在妈和罗拉的中间,罗拉赶快把礼物放到了妈的盘子上。这时,她们看到波士德先生和他的太太的盘子上都有一个包装漂亮的小礼物。

"天啊,我真是等不及了!"凯莉小声说着,搓着手,苍白的小脸上,一双大眼睛里闪着光芒。

"不行,你得学会忍耐,我们都得忍耐。"罗拉说。忍耐这件事对葛丽斯来说就容易多了,她那么小,根本就没有注意到餐桌上的礼物。葛丽斯非常兴奋,玛丽都没有办法给她扣上纽扣了。"圣诞快乐!"她大叫着,身子不停地动来动去。玛丽没有抓住她,她一下就在房间里跑来跑去,大声地欢叫着。后来妈不得不跟她说,小孩子要乖乖地听话。

"葛丽斯,快到这里来,你能看到外面呢!"凯莉说,她在结满了冰霜的玻璃窗上擦出一块干净的地方,她和葛丽斯就在那里向外面张望着,最后凯莉说:"他们回来了!"

　　他们先走到耳房去跺脚抖落积雪,然后爸和波士德先生走进了房间。

　　"圣诞快乐! 圣诞快乐!"他们都大声地说着。

　　葛丽斯感到有些害怕,她跑到妈的身后,抓着妈的裙角,偷偷地打量着这个陌生的男人。爸举起了葛丽斯,举得高高的,就好像罗拉小时候那样举起罗拉似的。葛丽斯也像罗拉小时候那样大笑大叫着,罗拉时刻在努力地记住自己已经是个大人了,要不然她也会忍不住大笑的。

　　房间里飘满了香香的味道,又有好朋友在这里相伴,他们都开心极了。本来结满冰霜的窗户那里投射的是银色的光线,不过当他们都坐下来准备吃早餐的时候,光线就变成了金色的,窗户也变成了金色的,外面的皑皑白雪上都洒满了灿烂的阳光。

　　波士德夫妇是客人,妈就让波士德太太第一个打开包裹。她打开一看,里面是一条四周镶着花边的细麻手帕,罗拉认出了那块手帕,是妈最好的一块做礼拜用的手帕。波士德太太非常高兴,对自己也能有一份礼物感到很惊讶。

　　波士德先生也有同样的感觉,他得到了一副用毛线织成的红灰色条纹的腕带。这幅腕带大小正好。本来这是妈织好要送给爸的,不过妈以后还可以织,客人们应该得到圣诞礼物啊!

　　爸拆开了礼物,高兴地说这双袜子正是他最需要的,因为他出门就能感到寒冷已经透过了他的靴子,他也喜欢罗拉送他的领结。"一会儿吃过早饭之后,我就要戴好,"爸说,"因为这个圣诞节,我都被打扮起来了!"

　　接下来是妈,她打开那条美丽的围裙时,大家都惊呼起来。她马上就穿上了围裙,站起来给大家看。她看看裙边,就笑着对凯莉说:

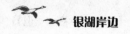

"锁边非常好。"然后她又对罗拉说:"衣褶也做得均匀,而且缝得精密,这围裙真好看!"

"妈,还有呢,"凯莉说,"看看你的口袋里!"

妈拿出了那块手帕,惊讶地张大了嘴巴。本来她刚刚把自己最好的手帕送出去,而现在她又得到了一块,这一切好像都是事前安排好的似的,当然她们并没有商量过。不过,这些话可不能当着波士德太太说。妈仔细欣赏着这块手帕上,说:"多么细密的针脚啊,多么漂亮的手帕啊! 玛丽,谢谢!"

接下来是玛丽拆礼物,大家一起看了她的拖鞋。所有人都非常惊叹,因为这双漂亮的拖鞋居然是用旧毛毯做的! 波士德太太说,要是她的毛毯也用旧了,她会马上也给自己做一双拖鞋的。

凯莉打开了礼物包,看到了那双手套,她马上戴在手上,拍着手大笑着说:"看! 我的国旗手套!"因为这双手套的颜色与国旗是一样的。

罗拉打开了放在自己盘子里的包裹,这是一条围裙,与妈的围裙一样,就是小了一点,也有两个口袋和窄窄的褶边。这是妈用另一条旧帘子给罗拉做的围裙,凯莉来缝制,玛丽加褶边。在以前的那些日子里,妈和罗拉都不知道对方在用旧帘子为自己做围裙。而玛丽和凯莉两边都帮忙,心里装了两个秘密,撑得满满的。

"谢谢,谢谢!"罗拉摩挲着这件漂亮的围裙,"围裙的褶边加得非常完美,谢谢玛丽!"

然后就到了最让人激动的时候了,大家都看着妈打扮葛丽斯,她给葛丽斯穿上那件蓝色外套,整理好天鹅绒的衣领,然后戴上那顶天鹅绒的帽子,盖住了她金色的头发。蓝色的流苏搭在葛丽斯的小脸上,那双蓝色的眼睛格外明亮。她摸摸手腕上的那圈天鹅绒,咯咯地笑了起来。

葛丽斯真漂亮，真开心，她的蓝色外套、白色帽子、金色头发、蓝色的眼睛，大家看啊看啊，觉得怎么也看不够。不过妈并不想让她被大人惯坏了，所以过了一会儿之后，妈就让她安静下来，把她身上的新衣服都脱下来。

罗拉发现自己的盘子旁边还有一个小包裹，在玛丽和凯莉的盘子旁都有一个，她们一起打开了自己的包裹，发现里面有一个装满了糖果的粉红色袋子！

"是圣诞糖果！"凯莉喊着。"圣诞糖果！"玛丽和罗拉都喊起来。

"怎么会有糖果吗？"玛丽说。

"难道圣诞老人真的来过了？"爸说。然后全家人几乎同时说："噢，谢谢你们！波士德先生和波士德太太！"

罗拉把包裹礼物的纸都收走，然后端着那盘金黄色的烤玉米饼放到餐桌上，接下来是热饼干、炸土豆、鳕鱼汁和苹果酱。

"不好意思啊，我们没有黄油，"妈说，"奶牛的产奶不够多，所以不能做黄油。"

不过烤玉米饼和炸土豆配着鳕鱼汁来吃，口味很好，而热饼干和苹果酱的搭配更是妙极了！这样的早餐就和圣诞节一样一年只有一次，接下来还有圣诞节的大餐，就在同一天！

吃过早饭之后，爸和波士德先生牵着马去弄他们留在外面的雪橇，他们随身带着铁锹，能去铲雪然后让马拉出雪橇。

玛丽抱着葛丽斯坐在一旁，凯莉在整理床铺和打扫地板，妈、罗拉和波士德太太穿好围裙，挽起袖子洗碗，并准备午餐。

波士德太太显得兴致很高，她对每件事情都非常有兴趣，她很想跟妈学习是如何料理家务的。"罗拉，你们既然没有牛奶来做酸奶，又是怎么做出这么好吃的饼干呢？"

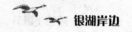

"和好面然后发酵啊!"罗拉说。

波士德太太以前从没有做过这种饼干,罗拉觉得教她怎么做很有意思。罗拉就用杯子量出需要的面粉,加入酵母、苏打粉和盐,在案板上揉成饼干的形状。

"那些酵母是怎么做成的?"

"先把面粉和热水放到罐子里,一直到它发酸发酵为止。"妈说。

"以后再用的时候,就每次都留一些下来,"罗拉说,"做完饼干后就把剩下的剩面屑放进去,就像这样。看,再加一些热水,盖上盖子,把罐子放到温暖的地方。这样,以后你想用的时候就能用了。"罗拉把罐子放到了火炉旁的架子上。

"这是我吃过的最好吃的饼干。"波士德太太说。

因为波士德太太在这里的缘故,早上的时光过得很快。爸和波士德先生把雪橇拖回来了,这时都已经快到中午,午餐也快准备好了。烤箱里的野兔肉已经烤成了金黄色,土豆也做好了,咖啡壶在炉子上冒着香气。整个房间里都充满了烤肉、刚出炉的面包和咖啡的香味。爸进来的时候吸了一下鼻子。

"查尔斯,别担心,"妈说,"房间里是有咖啡味,不过也烧着你喝的热茶呢!"

"棒极了!男人在冬天就得喝茶才行!"爸说。

罗拉把雪白的桌布铺好,然后放上糖罐和装满了奶油的玻璃壶。另一只玻璃容器里装满了干净的银匙。凯莉把刀叉挨个放到每个座位前,然后为每个人都倒上一杯清水。罗拉搬着一叠盘子放到爸的座位旁,然后在每个座位的前面都放上一个装满了金黄色果汁和桃子的玻璃碟子,这样整个餐桌明亮而漂亮。

爸和波士德先生洗了手脸,妈把最后一个空壶和空锅放回去,然后帮着罗拉和波士德太太端上最后一个装满了食物的盘子。

妈和罗拉赶快脱下做饭用的围裙,换上她们的圣诞礼物围裙。

"快来吃饭吧,"妈说,"午餐都好了!"

"波士德,快来坐!"爸说,"尽情地享用吧! 别看盘子不大,不过食物很多呢!"

烤兔肉就放到爸的面前,还有很多兔子的肚子里填的馅料,还有面包和洋葱。在桌子的另一头,放着一大盘土豆泥和一碗热腾腾的肉汤,桌子的中间放着几盘玉米饼和小饼干,还有一盘腌黄瓜。

妈给每个人都倒上一杯香浓的咖啡和一杯热热的茶,爸为每个人都装满了一盘烤兔肉和馅料,还有土豆泥和肉汁。

"我们还是第一次在圣诞节的时候吃烤兔肉,"爸说,"以前我们住的地方,经常可以吃到兔肉,在圣诞节的时候,我们都吃烤火鸡。"

"是啊,查尔斯,以前我们总吃兔肉。在印第安地区的时候,我们并没有测量员的房子可以住,当然也就没有腌黄瓜和桃子罐头。"

"我认为这是我吃过的最好吃的烤兔肉,"波士德先生说,"肉汤也很好喝。"

"一个人饿的时候吃什么都好吃。"妈谦虚地说。

"我知道今天的烤兔肉为什么这么好吃! 英格斯太太在烤制它的时候,在上面放了切成薄片的腌肉。"波士德太太说。

"是的,我放了,也许就是它增味不少。"妈说。

他们吃完一盘食物后,又盛了一盘吃掉了。后来爸和波士德先生又吃了第三盘,玛丽、罗拉和凯莉也吃了,不过妈只添了一些面包和洋葱,波士德太太又吃了一块饼干,说自己再也吃不下什么东西了。

爸吃光了盘子里的东西后,又拿起叉子想从大盘子上拿食物的时候,妈说:"查尔斯,你最后留着肚子吃点别的,波士德先生也一样。"

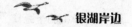

"你的意思是还有别的好吃的吗?"爸说。

妈去了食物储存室,端出了苹果派。

"苹果派!"爸喊道。

"天啊,早知道我就留着肚子吃这个了!"波士德先生惊呼道。

就这样,罗拉她们又吃掉了一小块苹果派,剩下的就被爸和波士德分着吃掉了。

"这顿圣诞大餐真好吃啊! 无疑是我吃过的最好的一顿!"波士德

先生叹息地说。

"是啊,"爸说,"这是我们搬到这里后吃的第一顿圣诞大餐。我很高兴我们都吃得这么好。以后这里就会有很多人搬过来,会有很多人在这里庆祝圣诞佳节,我想到时候就会有很多讲究的食物出现的。不过,我很怀疑他们能不能像我们吃得这么惬意舒服。"

过了一会儿,爸和波士德先生都依依不舍地离开了餐桌,妈清理桌子,对罗拉说:"我来洗碗吧,你去帮波士德太太收拾屋子。"

然后罗拉和波士德太太穿好外套,戴上帽子、手套和围巾,到外面去了。她们去了原本是测量员的办公室的小房子,在那里,爸和波士德先生正从雪橇上卸下东西来。

这间小房子没有铺设地板,只能放得下一张双人床。爸和波士德先生在门边上支起一个炉子。罗拉抱着羽毛床垫和被子去铺床,把桌子放到火炉的对面,椅子就放在桌子的下面。波士德太太的箱子放在桌子和床的中间,正好可以当做一个凳子坐。炉子上面有个架子放一些厨具,旁边的箱子里放餐具,剩下的空间正好能打开门抵着桌子。

"这下就行了,"爸在一切都收拾好之后说,"你们两个就算安顿下来了,现在先回我那里去吧!这里太小了,咱们几个人都放不下了,不过我们那里很宽敞,就当做是我们的活动地方吧!波士德,我们去下盘棋吧?"

"你们先回去吧,"波士德太太说,"我和罗拉稍后就来。"

他们走了之后,波士德太太在碟子下面拿出一个纸袋子,对罗拉说:"看,这是做爆米花用的干玉米。这是一个惊喜,波士德并不知道我带了。"

她们就带着这袋干玉米回去了,然后把它藏到食物储存室里,悄悄地告诉了妈这个秘密。等过了一会儿,爸和波士德先生正在专心地

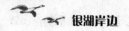

下棋时,她们就在铁锅里倒一些猪油,油热了之后,放进一把干玉米。等第一颗玉米爆开之后,爸马上就知道,他转过头惊讶地说:"天啊,是爆米花! 我好久都没有吃过了,自从……哈,波士德,要是我知道你带了这个过来,我早就拿出来吃了。"

"我并没有带啊,"波士德先生说,然后他恍然大悟地说,"是尼尔那个淘气鬼!"

"你们接着下棋吧!"波士德太太笑着说,"你们正在忙,不应该总是注意我们。"

"对啊,查尔斯,"妈说,"希望我们没有打扰到你们下棋。"

"波士德,这盘棋我一定能赢你!"爸说。

"没有啊,到现在你还没赢呢!"波士德先生说。

妈把玉米粒从铁锅里倒进牛奶锅里,罗拉撒上一些细盐,然后她们又爆了一锅。就这样,玛丽、罗拉和凯莉都有一盘脆脆的、香香的爆米花。爸妈和波士德夫妇围坐在一起,一边吃着爆米花,一边聊天,还不时传来一阵笑声。大家一直玩到做杂活儿的时间和吃晚餐的时间,到最后又到了爸拉小提琴的时间。

"我觉得每个圣诞节都比以前的更好,"罗拉想,"这大概是因为我在慢慢长大吧!"

第二十二章　快乐的冬天

　　圣诞节快乐的气氛一直延续着。每天早上，波士德太太都赶快做好早饭，然后就去了罗拉家，她自己说的，跟"别的女孩子"一起度过快乐的一天。她总是这么开心，觉得生活非常美好。还有，她很漂亮，她的柔软黑发、满含笑意的蓝眼睛和脸颊上的好气色都非常有魅力。

　　新年的第一周，阳光灿烂，无风无雪。棕黄色的草原一片荒凉，空气里不见了寒冷。波士德太太请罗拉一家过去吃新年大餐。

　　"你们能全部挤进我的小房间里来。"她说。

　　罗拉帮她一起搬东西，先把桌子搬到床上，然后打开门抵着墙，再把桌子搬到屋子的中间。桌子的一角就要挨着炉灶了，另一角快挨着床，不过他们到底都进来了——一个一个地走进来，围着桌子坐下。波士德太太就坐在炉子旁边，给大家盛东西吃。

　　第一个上来的食物是牡蛎汤，罗拉第一次喝到这么鲜美的热奶汤，汤上飘着金黄色的奶油和一些调味的黑胡椒粉，黑色的牡蛎肉沉

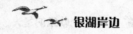

在汤底。她一点一点地喝着,想慢慢地享受这种鲜美可口的浓汤。

配着这道汤一起吃的,是一种又小又圆的牡蛎饼干。它们看起来就跟玩具一样小,不过正因为如此,吃起来口感更好。

等大家都喝完了汤,也吃完了饼干,接着就是抹了蜂蜜的面包和果酱。最后大家吃了一大盘热好的咸味爆米花。这就是新年大餐的内容,虽然不算丰盛,不过大家也都吃得很好。这次的新年大餐很时髦,非常新鲜,而且波士德太太带来的餐具和桌布都很漂亮。

"波士德太太,我觉得今天的蜂蜜特别好吃,是我吃过的最好的蜂蜜,"爸说,"你能从艾奥瓦那里把蜂蜜带过来,我真高兴。"

"牡蛎汤也很好喝,"妈说,"我第一次吃到这样的午餐呢!"

"这是一八八零年的良好开端,"爸严肃地说,"七十年代也不算太糟,不过八十年代肯定会更好的。要是达科地区的冬天都是如此的话,我们来到这里就非常幸运的。"

"这里确实很不错的,"波士德先生说,"我很庆幸自己已经申请到了一百六十亩土地,而且我希望你也已经申请了。"

"不到一个星期我就能申请,"爸说,"等布鲁金思的地政部门开门办公我就去,这比我去亚克顿再回来要节省一周多的时间。据说布鲁金思的办公室一月一号就会开始办公。老天保佑,这几天的天气这么好,我明天就可以动身了!要是卡洛琳同意的话……"

"我同意,查尔斯。"妈轻轻地说,她眼睛里闪着快乐的光芒,脸上闪着明亮的神采,因为爸马上就能去申请放领地了。

"好了,就这么说定了,"爸说,"倒也不是因为我担心什么,不过这件事情早点办完,心里也就踏实了。"

"越早越好,英格斯,"波士德先生说,"你还不知道春天将会来多少人呢!"

"好了，不用担心，肯定没有人会比我更早到达那里的，"爸说，"明天一大早我就出发，到了后天我就能到地政办事处了。所以啊，要是你们想写信寄到艾奥瓦的话，就赶快写好，我明天就带到布鲁金思去寄走。"

就这样，新年午餐吃完了，下午波士德太太和妈都在写信。然后妈还准备了一些食物，给爸明天出门吃的。但是傍晚的时候，大风吹着雪花袭来，窗玻璃上结满了冰霜。

"啊，这可不是能出远门的天气，"爸说，"卡洛琳，你别担心，我肯定会申请到放领地的。"

"是的，查尔斯，我不担心。"妈说。

在刮着暴风雪的日子里，爸总是忙着整理捕兽器，然后晾晒兽皮。波士德先生没有煤炭可烧，就忙着去亨利湖那里拖树枝回来，然后劈开烧火用。波士德太太每天都会去罗拉家玩。

如果哪天出了太阳，波士德太太、罗拉和凯莉就会多穿衣服，然后去外面的雪地里玩耍。她们跑啊跳啊，打雪仗，有一次还堆了一个雪人。在外面刺骨的寒风中，她们手拉手在银湖上滑冰。罗拉从来没有这么快乐过。

有一天下午，她们玩得全身都热了，气喘吁吁的。在准备回家的时候，波士德太太说："罗拉，你到我这里来一下。"

罗拉就跟着她回去了，她拿出一堆报纸给罗拉，那是她以前买的《纽约纪事报》。

"你尽量多拿一些，"波士德太太说，"等你看完了再还回来，然后再拿一些过去。"

罗拉兴冲冲地抱着报纸跑回去了，她一跑进房间，就把报纸放到了玛丽的腿上。"玛丽，你猜猜我给你带回什么好东西了？"她喊着，

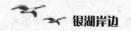

"是故事,很多很多故事!"

"噢,那我们快点准备晚餐吧,这样我们就能读故事听了!"玛丽着急地说。

"不用担心晚餐,罗拉,你先给我们念一个故事。"妈说。

就这样,妈和凯莉准备晚餐,罗拉为大家念一个故事,里面讲了一个美丽的女孩与一些小矮人和住在山洞里的强盗的故事。当念到最精彩的部分时,罗拉看到最后印着两个字——"待续。"然后故事就结束了。

"天啊,我们恐怕永远都不会知道那个女孩后来怎么样了,"玛丽叹息着说,"罗拉,他们为什么只刊登一半故事呢?"

"妈,这是为什么呀?"罗拉问。

"不会这样的,"妈说,"你找找下一期的报纸。"

罗拉开始寻找,这张没有,那张也没有,然后这张呢?"哎,找到了,这儿还有,这些都有!玛丽,这一张上写着大结局呢!"

"这是一篇连载故事。"妈说。罗拉和玛丽从来没听过"连载故事",不过妈知道。

"好,"玛丽开心地说,"我们就把下一张报纸留到明天再念,然后每天都念一段,这样故事就会变成更长。"

"我的女儿真聪明!"妈说。

罗拉也就没有说出她想一下念完这个故事,她把报纸小心地放好,每天都念一些,这样每天她们都期待着第二天的故事,想知道那个女孩的精彩经历。

在这些刮着暴风雪的日子里,波士德太太就拿着针线活儿和毛线活儿过来找她们一起做。每天下午,她们都一起念故事听。有一天,波士德太太告诉她们,在艾奥瓦那里,每户人家都会做装饰品陈列架,她要叫他们也做一个。

波士德太太指导爸来做陈列架，首先架子要做成三角形的，这样才能放在角落里。爸一共做了五个架子，大小不一，最大的放在下面，最小的放在上面，每一层架子的接缝处都用木板固定好。陈列架很快就做好了，非常适合放在角落，三条腿站得很稳固。陈列架的高矮也刚刚好，方便妈去取东西。

波士德太太用硬纸板剪了一下，正好能给每一层架子都做上一个遮帘，挂在架子的边缘处。这些纸板都被剪成了扇形，底部带着圆弧，中间是大扇形，两边是小扇形，随着架子的大小，又下往上逐渐变小。接着，波士德太太又教她们用硬包装纸剪成小方块再折好。先把每张纸都对折，然后再对折，最后压平实，等折好了很多小方块之后，波士德太太就告诉罗拉要将它们对角朝下，严密地成排缝到硬纸板上。方块都沿着硬纸板的弧线呈扇形排列，每一排方块都被上面一排遮住一些，每个对角的位置都在下面两个对角的中间。

就这样，她们在暖和的房间里做着针线活儿，同时聊天、唱歌或讲故事。波士德太太和妈经常聊起放领地的事情，波士德太太说她已经带了足够的蔬菜种子过来，两个菜园子用都没有问题，所以妈就不用担心种子的问题了，因为她会分一些给妈。她说，等这边的小镇建设起来之后，可能就会有种子卖了，不过在那之前可能买不到种子，所以她就在艾奥瓦那边带来了足够用的种子。

"如果我们能在这边申请到一块放领地并居住下来，那我就真的谢天谢地了！"妈说，"这将是我们最后一次搬家，在我们离开明尼苏达州之前，英格斯先生就已经答应我了，因为我的女儿们得去上学，过上文明人的生活。"

罗拉听着，心里不知道自己是不是想在这里安居下来，她要去上

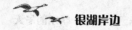

学，接着就是去教书，她现在不想考虑太多这件事情，她宁愿想些别的事情。她宁愿唱歌！于是她就轻轻地唱着歌，不去打扰她们了。不过一会儿之后，波士德太太、妈、玛丽和凯莉就会跟着一起唱起来，波士德太太还教她们唱了两首新歌。

罗拉最喜欢这首《吉卜赛人的忠告》：

> 漂亮的姑娘，请别相信他，
> 哪怕他有低沉迷人的嗓音，
> 哪怕他温柔地跪地讨好，
> 也不要轻易相信他。
> 你的青春才刚刚开始，
> 别让阴云密布在生命中，
> 请听吉卜赛人的忠告吧，
> 漂亮的姑娘，请别相信他。

还有一首歌叫《尼尔，我二十一岁时遇到了十七岁的你》。波士德太太最喜欢这首歌了，因为她与波士德先生相遇的时候，她正好十七岁，而他正好二十一岁。她原本叫艾拉，不过波士德先生总叫她尼尔。

她们一边聊着唱着，一边做着那个陈列架。后来，五层硬纸板都被一排排的尖角方块盖满了，除了最高那层的顶端之外，别的地方都看不到间隙或接缝。波士德太太在最顶端沾上一条宽宽的棕色纸条，遮住了那些接缝。

她们用大头钉把纸板钉在架子上，硬硬的扇形纸板上盖满了尖角方块，都向下垂着。爸将陈列架涂上油漆，给尖角方块也涂上棕色的油漆，等陈列架晾干了，他们就把它放到妈的摇椅的后面角落里。

"陈列架就是这个样子吧!"爸说。

"对啊,很漂亮,是不是?"妈说。

"是,非常好看。"

"波士德太太说,这种陈列架在艾奥瓦是很时髦的。"妈说。

"嗯,她熟悉那边的情况。卡洛琳,你应该用艾奥瓦最好的东西。"

最愉快的时光还是在晚餐之后,爸拉起小提琴,波士德先生和他太太也加入了唱歌的行列。爸快乐地拉着小提琴,大声唱着:

> 当我还是单身的小伙子时,
> 我能挣很多很多的钱,
> 那时候,世界真美妙,
> 我尽情地享受生活!
> 后来的后来,我娶了太太,
> 后来的后来,我娶了太太,
> 她就是我生活的欢乐源泉,
> 世界真美妙!

这首歌后面的部分是说那个男人娶了太太的烦恼,所以爸从来都不唱后面的部分。他向妈眨眨眼睛,音乐中都带着一些笑意,他接着唱:

> 她会做好吃的樱桃派,
> 比利小伙子! 比利小伙子!
> 她会做好吃的樱桃派,
> 比利小伙子! 比利小伙子!

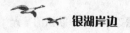

她的眼睛闪闪发光，
不过她是个小女孩，
不能离开自己的妈妈。

爸和波士德先生合唱一首歌，这时候的小提琴声音就会非常热闹，他们唱着：

我赌那匹短尾巴母马，
你赌那匹灰色小马！

平时的时候，哪怕唱歌时提到赌博，妈也不会赞同的。不过这次爸唱这首歌的时候，妈也在跟着用脚打拍子。

每天晚上，他们都要唱上一首《三只瞎老鼠》，几个人轮流唱。第一个是波士德先生用他的男高音唱，接着是波士德太太的女中音，然后是爸的男低音，罗拉的女高音也接上来，后面是妈的女低音、玛丽的女高音和凯莉的童音。波士德在这首歌快结束的时候，又接着唱到了开头，于是这首歌又开始新一轮的接力，大家就一遍又一遍地唱着，一个接一个，音乐一直奏着，歌声也不会停下。

三只瞎老鼠！三只瞎老鼠！
它们追着农夫的太太跑！
因为她切断了它们的尾巴，
你有没有听过这个故事，
就是三只瞎老鼠！

　　他们一直唱着，直到有人实在忍不住大笑起来，所有人都跟着笑，
歌声才会停下。

　　有时爸也会演奏一些老歌，他说："这些曲子是可以躺在床上慢慢
回味的。"

　　美丽的淑女尼莉昨夜死了，

　　沉重的钟声为她而响，

　　我年老的弗吉尼亚新娘。

　　还有这首：

　　你还记得吗？那个可爱的女孩爱丽丝，

　　她有一双棕色的大眼睛，

　　曾经为了你的笑容轻轻落泪，

　　曾经为了你的皱眉瑟瑟发抖。

　　还有这首：

　　在安静的深夜里，

　　我进入温柔的梦乡之前，

　　甜蜜的回忆给我带来，

　　往日岁月的光辉。

　　罗拉觉得自己从来没有这么快乐过，因为一些原因，罗拉在大家
唱这首歌的时候最开心：

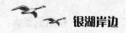
美丽可爱的花朵，
开满了波尼杜恩的山坡和河岸，
小鸟儿唱着快乐的歌，
这一切都是为了什么？
我又为什么充满了忧愁？

第二十三章　罗拉家的布道会

在一个星期日的晚上,爸演奏一曲礼拜歌曲,大家都轻声跟着一起唱着:

我们在这美好的家园里相逢,

多么美好啊!

快乐的歌声传来,

我们得考虑停下幸福的脚步,

来想想依旧生活在孤单忧愁里,

那些流着眼泪的人们。

让我们伸出友谊的双手……

这时小提琴的演奏声停下了,大家都听到外面有个人在接着唱:

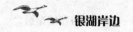

向虚弱和困倦的人伸出双手，

向走在朝圣路上的人伸出双手。

爸赶快把小提琴扔到桌子上，小提琴砰地一声摔到桌上，爸也顾不上了，赶紧去开门。一股寒冷的空气冲进了屋里，爸走出去关上了门，外面传来了一阵响亮的说话声，然后门就被打开了，两个身上落满雪花的人跌跌撞撞地走了进来。爸在他们后面说道："我先去拴马，一会儿就回来。"

进来的两个人里，其中一个是高个子，他戴着帽子和围巾，露出一双友善的蓝眼睛。罗拉都没有意识到自己在做什么，她只听见自己在喊："奥尔登牧师！奥尔登牧师！"

"真的是奥尔登兄弟吗?"妈惊讶地说，"天啊，真的是你!"

那个人摘下帽子，大家都看到他充满笑意的蓝眼睛和深棕色的头发。

"奥尔登兄弟，能再看见你我太高兴了，"妈说，"赶快来烤烤火，真太意外了!"

"英格斯姐妹，我和你们一样感到吃惊，"奥尔登牧师说，"因为我上次看到你们的时候，你们一家人还住在梅溪。我也不知道你们搬到这里来了。看看我的乡下小姑娘都长成大姑娘了!"

罗拉高兴得说不出话来，又能看见奥尔登牧师让她太惊喜了。玛丽很有礼貌地说："先生，再次见到您我很高兴。"玛丽脸上的表情非常快乐，不过她的蓝色眼睛却是空茫的。奥尔登牧师看了大吃一惊，他看看妈，又看看玛丽。

"奥尔登兄弟，这两位是我们的新邻居，波士德先生和他的太太。"妈说。

　　"我们是坐着马车过来的,听到了你们在唱歌,你唱得真好啊!"奥尔登牧师说。

　　"先生,您唱得也非常好。"波士德先生说。

　　"哦,那不是我唱的,是这位年轻的牧师斯图亚特唱的,"奥尔登牧师说,"我都冷得说不出话来了,不过斯图亚特拥有一头红发,我猜这

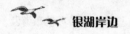

让他感到非常暖和。啊,斯图亚特,我来介绍一下,这些都是我的老朋友了,这两位是他们的好朋友,所以我们都变成了朋友。"

斯图亚特牧师是个年轻的小伙子,几乎稚气未脱。他有一头红发,脸也被冻得通红,眼睛则是灰色的。

"罗拉,赶快准备晚餐吧!"妈说着,系上了围裙,波士德太太也系上围裙,一起在炉灶旁忙碌起来。她们煮了一壶热茶,然后做了一些小饼干和炸土豆片。波士德先生则陪着两位客人聊天,很快爸就带着另外两个人从马厩走回房间。他们正是那两匹马的主人,是来申请放领地的,他们想在吉姆河定居。

"我和斯图亚特牧师只是搭乘马车的乘客,因为我们都听说了,在吉姆河那里有一个人群定居的地方,叫湖融镇,于是教会就让我们来考察一下那里,准备建一个教堂。"奥尔登牧师说。

"我猜是在铁路路基那里,有建设小镇的标记,"爸说,"那里现在还一片荒凉呢,我只听说那里有个酒馆。"

"听你这么一说,我觉得那里更需要建一座教堂了。"奥尔登牧师高兴地说。

等客人们都吃过了晚饭,妈和罗拉去洗碗,奥尔登牧师去找她们。他先向妈感谢了款待的晚餐,然后说:"英格斯姐妹,我看见玛丽的眼睛失明了,心里真难过。"

"是啊,奥尔登兄弟,"妈说,"有时候,我觉得要完全服从上帝的意志真的好难。我们在梅溪的时候都得了猩红热病,那段日子非常难熬。不过,我还是要感谢上帝,所有的孩子都陪我走过来了,玛丽虽然遭受了重挫,不过她给我很大的安慰,因为她从不抱怨什么。"

"玛丽拥有最高尚的灵魂,她是我们的榜样,"奥尔登牧师说,"我们要牢记上帝是爱我们的,他给予我们磨难是为了幸福,只有我们坚强,就能让痛苦变为幸福。英格斯姐妹,你和英格斯兄弟知不知道有盲人学校? 就在艾奥瓦州有一所。"

妈的神情变得十分急切又想哭,双手紧抓着托盘,罗拉被吓了一跳,她听到妈用一种梗咽的声音问:"这需要多少钱呢?"

"我并不太清楚,英格斯姐妹,"奥尔登牧师说,"要是你想知道的话,我可以帮你问一下。"

妈轻轻地叹息一声,接着洗碗,说:"我们没有那么多钱,不过……要是……要是不用太多钱的话,我们会想办法的,无论怎样……我们会有一天送玛丽去上学的,她应该去接受高等教育。"

罗拉也觉得心跳加快,一颗心都快跳到嗓子眼里了,她的脑子里涌现了很多想法,她自己也不知道到底该怎么办。

"我们要相信上帝,他会为玛丽做最好的安排,"奥尔登牧师说,"等你们忙完之后,我们大家开一个祈祷会。"

"好的,奥尔登兄弟,"妈说,"我愿意参加,而且大家肯定都愿意参加。"

她们忙碌完厨房的事情之后,洗干净双手,脱下围裙,整理下头发。这时,奥尔登牧师正和玛丽谈话,他们聊得非常愉快。波士德太太抱着葛丽斯坐在一边,而爸、波士德先生和那两个申请放领地的人正在一起聊天,爸说只要能播种了,他就要种下麦子和燕麦。奥尔登牧师看到妈和罗拉走进来,他站起来说,在大家睡觉之前,他们要在一起做一次正式的祷告。

所有人都在椅子旁边跪下了,奥尔登牧师向上帝做祷告,上帝会理解他们的心灵,看到他们的思想,上帝会时时眷顾他们,并原谅他们的罪孽,帮助他们走上正轨。在奥尔登牧师做祷告的时候,屋子里一片安静,罗拉觉得自己本像一块在干旱中苦苦挣扎的干燥而布满尘土

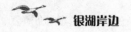

的草地,而奥尔登牧师的祷告就像一场凉爽的小雨,解救了这块垂死的草地。祷告之后真的非常舒畅,觉得每件事情都那么单纯,自己的心绪那么平静。罗拉觉得自己一下变得非常强壮,她想赶快去工作,付出自己的全部努力,帮助玛丽尽快去上学。

波士德夫妇向奥尔登牧师表示了感谢,然后回家了。罗拉和凯莉一起把阁楼上的一床床垫搬下来,妈在炉火旁铺好地铺。

"真不好意思,我们就只有这么一个床铺,"妈说,"而且恐怕被子也不够。"

"没关系,英格斯姐妹,"奥尔登牧师说,"我们有外套,就足够用了。"

"对啊,我们会感到很舒适的,我保证,"斯特亚特牧师快活地说,"你不知道我们发现你们住在这里时,我们有多高兴。本来我们以为会一直赶夜路到湖融镇去,后来居然发现了你们小屋的灯光,还听到了你们的歌声!"

阁楼上,罗拉帮凯莉解开衣服扣子,拿一个热热的熨斗在她们的脚下,三个人就在被子下面紧紧地抱着取暖,听到楼下爸妈和几个客人的谈笑声。

"罗拉,奥尔登牧师对我说,有专门为盲人开办的学校。"玛丽轻轻地说。

"专门为盲人开办的什么?"凯莉问。

"学校啊,"罗拉说,"在那里盲人也可以上学。"

"可是盲人怎么学习啊,"凯莉问,"我想盲人也得念书做功课吧,怎么弄啊?"

"我也不知道,"玛丽说,"不过无论如何,我也去不了。这肯定要花上一大笔钱,我想自己已经没有机会上学了。"

"妈知道这些，"罗拉说，"奥尔登牧师告诉她了。玛丽，也许你可以去的，我真想你能去。我会好好学习的，这样能尽快地做一个老师，教书挣钱。"罗拉真的是这样想的。

第二天早上，罗拉听到了楼下客人们的说话声和餐具的碰撞声，她赶快起床穿上衣服，然后冲到楼下去帮妈一起做早饭。

房间外面是寒冷的世界，不过房间里却舒适宜人。阳光已经斜着照进了屋子里，每个人都精神抖擞。客人们十分喜欢吃今天的早餐，对所有的食物都赞叹不已。薄薄的饼干、炸得金黄的土豆、酥脆的煎肉片和味道鲜美的肉汤，喝起来还有一种奶香味。热茶和糖也非常受欢迎。

"这种肉真好吃！"斯图亚特牧师说，"我知道其实这就是腌猪肉，不过我觉得非常好吃，以前可从没吃过这么好吃的肉。英格斯姐妹，你能教教我这是怎么做的吗？"

妈觉得有些意外，奥尔登牧师说："我和斯图亚特过来开设教区，办好教堂之后我就走了，他以后会一个人留着这个地方，所以得学会自己做饭。"

"斯图亚特兄弟，你会做饭吗？"妈问。

斯图亚特说，他会好好学习的，然后通过实践来证明自己。他连食材都买好了，有土豆、面粉、茶叶和腌肉。

"嗯，这种肉做起来很简单，"妈说，"先把腌肉切成一条一条的，然后放到冷水里煮到半熟，水开了之后就捞出肉条，裹上面粉在油锅里炸成黄色。等炸好了就捞出装到盘子里，多出来的油留下做黄油用。锅里剩下一点油，炸一些面粉，然后倒入一些牛奶，一边煮一边不停地搅拌，这样肉汤也就做好了。"

"你能帮我记下来吗？"斯图亚特牧师说，"得放入多少面粉，多少

牛奶啊？"

"这个呀，我还真的没有量过，"妈说，"我来试试吧！"她找出一张纸和她的珍珠笔杆的钢笔，在纸上写下煎腌肉、奶肉汤、小饼干和烤豆子的菜谱。这时候，罗拉赶快收拾桌子，凯莉就跑去请波士德夫妇来参加布道会。

在周一的早上开布道会，真有一些奇怪呢！不过奥尔登牧师他们马上就要去湖融镇了，大家都不愿失去这个听布道会的好机会。

先是爸拉起小提琴，大家一起唱圣歌。斯图亚特牧师收起妈写下的菜谱，然后为大家做了一个简短的祷告，请求上帝指引大家走上正确的道路，接着是奥尔登牧师为大家布道。在最后，爸又用小提琴拉起一曲圣歌，大家一起唱着：

在遥远的地方，

有一个幸福的国度，

圣徒们都聚在那里，

享受着如同白昼的荣耀，

听啊，天使们正在唱歌，

这荣耀归于上帝

……

现在，马匹和马车都准备好了，奥尔登牧师临走的时候对他们说："在这片新兴的土地上，你们参加了第一次布道会。等春天的时候，我还会过来建立一个教堂，到时候你们就能每周都来做礼拜了。"他还对玛丽、罗拉和凯莉说："到时候我们就会有主日学校的，明年圣诞节的时候，你们就可以过来帮我布置圣诞树了！"

他上了马车,对他们挥挥手,然后离去了。罗拉他们还在想着他刚才说的那些话,他们穿着厚厚的衣服,一直目送着马车向西部走去,一直到看不见为止。马车在平滑的雪地上留下来两道车辙痕迹,清冷的阳光照射在上面,一片冰天雪地里到处都闪耀着刺眼的光点。

"能在这里做第一次礼拜,这真是太好了!"波士德太太透过厚厚的围巾说道。

"这里马上就要修建的小镇叫什么名字啊?"凯莉问。

"还没有取名字吧,爸,是不是?"罗拉说。

"取好名字了,"爸说,"是德斯密特,这是一个很早以前到这里来传教的牧师的名字。"

他们回到了温暖的房间,妈说:"那个可怜的小伙子! 他得一个人做饭,一个人住,他不会照顾好自己的。"妈说的是斯图亚特牧师。

"他是个苏格兰人!"爸说,好像这样就没有任何问题了似的。

"怎么样,英格斯,我说得对吧? 春天这里就会挤满了人,"波士德先生说,"现在才不到三月份,就已经有两个寻找放领地的人了。"

"确实,我也很着急。不管天气好坏,明天一早我就动身去布鲁金思。"爸说。

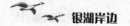

第二十四章　春天人潮涌动

"今天晚上咱们不唱歌了,大家都早点睡,第二天我一早就出门,然后后天就能申请到放领地了!"那天晚上,爸在吃饭的时候说。

"查尔斯,我真高兴。"妈说。

昨天晚上和今天早上都非常忙乱,经过了一天之后,房间里又恢复了平静和整洁。晚餐之后需要做的家务活儿都已经做完了,葛丽斯已经在她的小床上睡着了,妈在准备一些吃的,让爸在去布鲁金思的路上吃的。

"听啊! 有人在外面说话!"玛丽说。

罗拉贴在窗户的玻璃上,用手遮住房间里的灯光,向外面看着。只见在外面的雪地上,有两匹黑乎乎的马,还有一辆坐满了人的马车。有个人正在大喊着什么,另一个人就跳下了马车。爸出去跟他们交谈了一下,然后回到屋子里关上门。

"卡洛琳,外面有五个人,是准备去湖融镇找放领地的。"爸说。

"可是这里没有地方住了。"妈说。

"卡洛琳,我们得收容他们过夜,"爸说,"这里除了咱们的房子,就没有别的地方能让他们休息了。他们的马已经很累了,而且他们都是新手,要是咱们不收留,让他们赶着夜路去湖融镇的话,他们很可能会在草原上迷路,也很可能会被冻死的。"

"好吧,查尔斯,你知道应该怎么办。"妈轻轻地叹息了一声。

于是,妈赶快去给这些赶路人做晚餐,他们沉重的脚步声和很大的说话声在房间里直响。炉火旁堆满了他们带来的床垫,准备在那里铺床睡觉。晚餐的碗盘都没有来得及洗,妈叫罗拉她们赶快去睡觉。

现在还很早,不到平时睡觉的时间,不过罗拉她们知道,这是妈不愿让她们待在楼下,不愿让她们与这些陌生的男人接触。凯莉跟着玛丽一起进了上楼梯的门,不过罗拉被妈拉住了,妈给她一根粗木棒。"把这个别在门闩上,然后把门插好,这样就没人能打开门了。明天早上,听见我叫你们再下来。"

第二天的清晨,太阳都爬起来了,玛丽、罗拉和凯莉也醒了,她们一直躺在床上,听着下面传来的餐具碰撞声和陌生人的说话声。

"妈昨天说了,她来叫我们才能下去。"罗拉说。

"真希望他们能快点走,我一点也不喜欢陌生人。"凯莉说。

"我也是,妈也不喜欢。他们是新手,要出发的话还得花一些时间。"罗拉说。

终于,那些人走了。在吃午饭的时候,爸说明天再动身去布鲁金思。"如果打算去的话,就得一大早出门。如果等太阳出来了再走,那样的话晚上就不能赶到那里了,这么冷的天在外面露宿,实在不划算。"

结果,那天晚上来了更多的陌生人,到了第二天的晚上,来的陌生

人越来越多了！"天啊，我们就不能再安静地过一晚吗？"妈说。

"卡洛琳，这实在没办法，我们不能拒绝他们，因为这里没有别的地方可让他们休息了。"爸说。

"我们得向他们收取一定的费用，查尔斯。"妈说。

虽然爸并不愿意因为给那些人提供住所和食物就收取费用，不过他知道妈说的对。所以他就开始对外收费，一顿饭要收二十五美分，一个人或一匹马过一夜收二十五美分。

这些天以来，大家不能唱歌了，也没有舒服美味的晚餐，过去的那种美好的夜晚再也没有了。因为每天晚上都会有很多陌生人走进房子，围在餐桌周围吃饭。常常刚洗干净碗盘，就又来了一群人。玛丽、罗拉和凯莉只能待在阁楼上，门闩上别着大木棍。

这些人来自不同的地方——艾奥瓦州、俄亥俄、伊利诺伊州、密西根州、威斯康星州或明尼苏达州，甚至还有更远的纽约州和佛蒙特来。他们都是去湖融镇、皮埃尔堡或更远的西部地区申请放领地。

有一天早上，罗拉坐在床上仔细地听下面的声音，"怎么听不到爸的说话？波士德先生倒是在下面，爸去哪儿了？"

"我猜是去申请放领地了。"玛丽说。

当楼下的那些陌生人上了马车赶往西部之后，妈就让她们几个下楼了，告诉她们，爸在太阳升起之前就出发去布鲁金思了。"你们的爸本不想这么匆忙就离家出发，不过他必须抓紧时间去，要不然那块土地也许就被别人申请了。我们没有想到居然会有这么多人来，现在不过刚到三月份。"

现在是三月的第一个星期，房门被打开了，空气中飘满了春天的味道。

"三月初的时候好像小羊羔，到了月末就变成大狮子了！"妈说，

"好了,孩子们,我们可有的忙呢!在晚上的陌生人到达之前,我们赶
快收拾一下房子吧!"

"在爸回来之前,我希望不要再有人过来。"罗拉说,她和凯莉忙着
清洗那些用过的碗盘。

"这几天你爸不在,波士德先生会过来帮忙的,"妈说,"波士德和
他的太太住到我们的卧室里,我和葛丽斯去楼上跟你们一起住。"

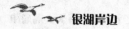

波士德太太过来帮她们一起打扫房间，移动床铺，到了傍晚的时候总算收拾好了一切，她们都累坏了。在太阳落山前的最后一抹光辉中，她们看到东边驶过来一辆马车，里面坐着五个人。

波士德先生将他们的马牵到马厩里拴好，波士德太太与妈一起为他们准备晚餐。这五个人还没吃完，又有四个人到了这里。罗拉赶快收拾好桌子，把碗洗了，然后把这四个人的晚餐端上来。他们在吃饭的时候，又有六个人乘着马车到了。

玛丽已经上楼去了，门关上了，凯莉在唱歌哄葛丽斯睡觉。罗拉赶快收拾桌子，然后洗碗。

妈和波士德太太在食品储存室里，妈说："太糟糕了，地板上根本就睡不下十五个人，所以只能在耳房里放一些床垫，那些人只能用自己的衣服、毯子来铺床。"

"罗伯特会料理一切的，我一会儿跟他说一下，我希望别再来马车了。"波士德太太回答。

罗拉一直忙个不停，收拾桌子、洗碗。房间里坐满了陌生人，到处都是陌生的声音，陌生的衣服，还有很多沾满了泥泞的靴子。罗拉在房间里几乎没有容身的地方了。

最后，所有人都吃完了饭，所有的碗盘也都被洗干净了。妈抱着格里斯，跟着凯莉和罗拉一起上楼，然后小心地把门闩上。玛丽已经在床上睡着了，罗拉困得连眼睛都睁不开了，她迷迷糊糊地脱了衣服，结果刚一躺下就被楼下的吵闹声惊醒了。

楼下有人在大喊着什么，还有人在不停地走来走去。妈在床上坐着倾听，楼下的卧室里并没有什么动静，波士德先生没有出面干预，说明那些声音没什么问题。妈就又躺下了。结果，那种吵闹声越来越大，有时会突然停一下，然后再迸发出来。一种撞击声让整间房子都震动起来,罗拉赶快坐起来,喊道:"妈,下面到底怎么了?"

妈低沉的声音显得比下面的那些嘈杂声更有力量:"罗拉,安静下来,快躺下睡吧!"

罗拉觉得怎么睡都睡不着,哪怕她已经累坏了,楼下的声音始终在打扰她。到最后她终于睡着了,接着一阵声音又吵醒了她。"罗拉,别担心,波士德先生在下面会照应一切的。"妈说。于是罗拉又睡着了。

早上,妈叫醒罗拉,说:"快起床吧,该去准备早餐了。轻一点,让她们再睡一会儿。"

罗拉和妈穿好衣服,一起下楼来,看到波士德先生已经收起了地上的床垫。那些刚刚睡醒的陌生人正在穿靴子和外套。妈和波士德太太赶快准备早饭。这么多人要吃饭,餐桌根本不够用,而且餐具也不够。罗拉只能摆三次桌子,洗三次碗。

在吃过了早饭之后,那些人终于离开了。妈去楼上叫玛丽和凯莉起床,然后和波士德太太为大家做早饭。罗拉又洗好了所有的碗盘,摆好餐桌。

"天啊,这一夜太吵了!"波士德太太说。

"怎么了?"玛丽问。

"我想他们是喝醉了。"妈说,紧紧抿着嘴巴。

"是啊,他们是喝醉了,"波士德先生说,"他们带了很多瓶威士忌酒,还有一大罐呢! 我倒是想过出去阻止他们,不过十五个醉鬼我无能为力,只好任由他们胡闹,只要别点火烧房就行了。"

"谢天谢地,他们没有烧房子。"妈说。

那一天,有一个年轻的小伙子过来,他拉着一车木头。他说自己叫辛兹,是从布鲁金思来的,想在这里盖一个商店。他向妈央求,在他

盖商店的时候,能在他们这里吃饭。妈无法拒绝他,因为这里没有别的地方可以留他吃饭了。

后来又来了一个叫哈森的人,他带着儿子从大苏河过来。他们也拉了木头过来准备盖一间杂货店。他们也想在这里吃饭,妈同意了。她对罗拉说:"一个人跟咱们一起吃饭可以,多几个人也不碍事的。"

"要是英格斯还不回来的话,这里就快要盖上一个小镇了。"波士德先生说。

"我只是希望他能申请到放领地。"妈说话的时候有些焦虑。

第二十五章　爸打的赌

那天罗拉都觉得像在做梦似的,她晕晕沉沉的,哈欠连天,不过她又觉得睡不着。

到了中午的时候,辛兹先生和两位哈森先生就会过来吃午饭。下午,罗拉听到他们敲打新房子屋架的声音。

爸走了很长时间了,晚上他还是没有回来。第二天白天没有回来,晚上又没有回来。罗拉现在知道了,要申请放领地肯定很困难,也许爸没有申请到。如果是这样的话,他们就得搬到更西边的奥勒岗去了。

妈不让陌生人住到家里了,除了辛兹先生和两位哈森先生还在炉火旁睡地铺。现在外面的天气已经不是很冷了,那些人可以在马车上过夜,不至于被冻僵。妈为那些人提供晚餐,每个人收二十五美分。她们要一直忙到晚上很晚,妈和波士德太太还在做饭,罗拉还在洗碗。来吃晚饭的人太多了,妈都不愿意去记人数了。

到了第四天的下午,爸终于回来了。他牵着马去马厩,对大家挥挥手,然后笑着走进了屋子,大声说着:"嗨,卡洛琳!孩子们!我们已经申请到放领地了!"

"申请到了?!"妈喜出望外地喊着。

"我就是去申请放领地的,不是吗?"爸大笑着说,"啊,骑马过来真冷,我得赶紧去烤烤火。"

妈赶快拨旺火苗,把茶壶放上去煮茶。"查尔斯,你这次去遇到什么麻烦了吗?"

"我要说你可能都不会相信,"爸说,"我都没见过这么拥挤的场面,好像这个国家里所有的人都去申请放领地了。我第一天晚上就到了布鲁金思,结果第二天早上去地政办公室的时候,发现那里挤满了人,我根本就不能接近办公室的门。所有人都在排队,队伍排得很长很长,我排了很久,到晚上也没有轮到我。"

"爸,你不会在那里就那么站了一天吧?"罗拉问。

"就是站了一天啊,我爱操心的姑娘,整整一天。"

"整整一天没有吃饭,没有休息?爸!"凯莉说。

"好了,你们不用担心,那根本不算什么,我就是担心人太多了,害怕有人在我之前就申请了那块土地。卡洛琳,你肯定都没有见过那么多人。后来的事情让我明白了,我之前的担心实在太微小了,后面的麻烦还多着呢!"

"后来怎么了,爸?"罗拉问。

"让我歇一歇,我爱操心的姑娘,"爸说,"在那天的地政办公室下班之后,我就随着人群去旅馆吃饭了。在那里,我听到有两个人正在聊天,其中的一个已经申请了湖融镇附近的一块土地,另一个人就说德斯密特比湖融镇更好,然后他就说到了我去年冬天看中的那块土地,他说第二天一早就去申请,那已经是德斯密特镇附近最后的一块土地了。所以他一定得去申请,哪怕他都没有见过那块地。

"天啊,我觉得自己快疯了,我一定得在他之前申请到那块土地。所以一开始我只是想在第二天一大早就去排队,后来觉得自己不能这么不谨慎,万一失败就没有机会了。于是我吃过了晚饭之后,就赶回了地政办公室。"

"我猜那里已经关门了。"凯莉说。

"是关门了,我就打算在办公室门口坐一晚上。"爸说。

"查尔斯,你不用这么卖命吧?"妈递给爸一杯热茶。

"不用这么卖命?"爸说,"我并不是唯一这么想的人,你真应该看看那个混乱的场面!幸好我是第一个等在那里的人,夜里那儿就已经排起了四十个人的队伍,在我后面的正是我听到谈话要申请我们那块土地的两个人。"

"爸,他们并不知道你也要申请那块地,是吗?"罗拉问。

爸吹吹茶,然后喝了一口,说:"这一夜他们都不知道,不过后来有一个人走过来跟我打招呼,说:'英格斯先生,你好吗?你在银湖过了冬,肯定要在德斯密特镇定居了,是吧?'"

"天啊,爸,他们肯定知道了!"玛丽喊道。

"对啊,这真是对我不利,"爸说,"我心里清楚,如果我从这里走开一步,那么就再也没有机会了,所以我一直坚守在这里,一步都没有离开。到了太阳即将升起的时候,排队的人越来越多了,在地政处办公之前,外面足足有两百个人在相互推搡,乱挤乱嚷。那天根本就没人在遵守规矩排队了,那些后面的人就像魔鬼一样!

"好了,孩子们,终于到了开门办公的时候了。卡洛琳,请再给我倒一些茶。"

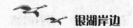

"啊,爸,求求你接着讲下去。"罗拉喊道。

"就在门刚刚打开的时候,"爸说,"那个在湖融镇取得放领地的家伙就想把我挤走,他对那个想申请我们放领地的人说:'快进去,我来挡住他!'那时的局势是:我肯定要和这个挤走我的人打架,但是另一个人就会趁机进入办公室去申请那块土地,这样我就没有机会了。正当我焦急的时候,突然有个人重重地扑到那个湖融镇来的人身上,他对着我大喊:'英格斯,快进去! 我来对付他! 呦嘿嘿!'"

爸学出了那个人的叫声,又长又尖的声音好像山猫的叫声。

"天啊,查尔斯!"妈说。

"你们肯定猜不出来那个人是谁。"爸说。

"是爱德华先生!"罗拉大喊。

"你怎么知道的,罗拉?"爸觉得非常惊讶。

"在印第安人的地区,他就是那么叫的,他说自己是一只从田纳西来的山猫!"罗拉说,"爸,他在哪儿? 他没跟你一起回来吗?"

"他没跟我一起回来,"爸说,"我跟他说了半天,他却说在南边已经申请到一块放领地了,他得回去守着以免有人来抢。卡洛琳,他要我代他问候你,还有玛丽和罗拉。我们真得谢谢他,多亏了他我们才申请到了放领地。天啊,那场架是他先动手的呢!"

"他没事吧? 受伤没有?"妈非常焦急。

"没有,就连擦伤都没有。卡洛琳,别担心。他只是挑起了战斗,不过我一进入办公室填写申请表,他就赶快走了。不过后面的人群可是混乱了很久,他们简直……"

"结果好比什么都重要,查尔斯。"妈轻轻地打断了爸的话。

"我想得跟你一样,卡洛琳,"爸说,"结果好就行了! 孩子们,我用十四美元与美国政府打赌,结果得到了一百六十英亩土地,我们得靠自己的努力在这片土地上生活五年。你们会帮我赢得这场打赌吗?"

"当然了,爸,我们会支持你的!"凯莉开心地说。

"是的,爸!"玛丽也快乐地说。

"是的,爸!"罗拉严肃地保证着。

"我并不想把申请放领地是一场赌注。"妈用一贯的温柔口气说。

"无论什么事情,其实都是一场赌博,卡洛琳,"爸说,"除了死亡和交税之外,没有事情是绝对的。"

第二十六章　盖房的热潮

现在已经没有时间跟爸再聊下去了,因为太阳已经在西面落下。"我们得赶快准备晚饭,那些人就快来了。"妈说。

"是谁啊?"爸问。

"妈,等一等,您先不要说啊!"罗拉请求着,"爸,这会是一个惊喜的!"她说着赶快跑到食品储藏室里,在那个几乎空了的豆子罐里拿出了钱袋,钱袋里已经装满了零钱。"爸,你看,看!"

爸惊讶地接过那个钱袋掂掂,然后看着妈和罗拉她们,她们都满脸笑容。"卡洛琳,你和孩子们怎么挣的钱?"

"爸,你打开看看啊!"罗拉喊着。爸解开了钱袋,罗拉迫不及待地说:"里面有整整十五美元二十五美分!"

"我真不敢相信!"爸说。

罗拉和妈开始准备晚饭了,一边忙碌一边告诉爸,他不在家的这几天都发生了什么事情。就在这时,一辆马车已经到了。那天晚上,一共有七个陌生人到罗拉家吃饭,一共挣了一美元零七十五美分。如今爸已经回来了,就可以让他们在房间里打地铺睡觉了。罗拉一点也不觉得洗那么多碗有多累,也不觉得自己有多困。现在她们的家正在慢慢变富裕,而她帮了很多忙。

第二天早上,罗拉很是惊讶,因为有那么多人来吃早饭,她们忙得连说话的时间都没有。罗拉都来不及洗碗,到了最后,罗拉终于洗干净所有的碗,又得忙着去打扫脏乎乎的地板,接着又需要去准备午餐要用的土豆了。在忙这么多活计的间隙里,罗拉只有在出去倒垃圾的时候才能看看外面明媚的阳光,还有湛蓝的天空和朵朵白云。她看见爸拉着一车木材去镇上了。

"爸在忙什么呀?"她问妈。

"他想在镇上盖一所房子。"妈说。

"给什么盖?"罗拉问着,拿起扫把清扫地板。她的双手因为洗了太多的碗盘,皮肤被水泡得有些起皱了。

"罗拉,你得说给谁盖,"妈说,纠正了罗拉的说法,然后抱着床垫去外面晾晒,"是给我们自己盖啊!"

"我们不是要搬到放领地去住吗?"罗拉等妈走进房间时说。

"我们得等六个月以后才能在放领地上盖房子,"妈说,"现在大家都在镇上盖商店房子,土地占用得很快,所以你爸认为在那里盖一所房子再出售能赚到钱。现在,他把原来咱们住的那间小屋拆了,用拆下来的旧木头来盖一间商店。"

"妈,我们都在赚钱啊!这真是好极了!"罗拉开心地说着,起劲地挥舞着手里的扫把。

妈抱着另一个床垫出去晾晒,她说:"罗拉,压住扫把,别这么用力扫,灰尘都被扬起来了!我们是都在赚钱,不过不能还没孵蛋就开始

数小鸡了!"

那个星期过得很快,因为每天都有固定过来吃饭的人,有在镇上盖房子的人,有在自己的放领地上盖房的人,就这样从早上开始一直到深夜,妈和罗拉都忙得团团转,几乎没有时间休息。从早到晚房间外面都是马车经过的嘈杂声,一车车木材自布鲁金思拉过来,一栋栋黄色框架的房子拔地而起,就沿着铁路的路基,一条主要的街道已经初见规模了。

每天晚上,在罗拉她们活动的大房间里和耳房里都有很多人在打地铺,爸让玛丽、罗拉和凯莉搬到卧室去,和妈住在一起,这样阁楼也能住很多人了,爸就和这些人一起住。

现在食物储存室的东西都已经吃完了,妈只能去买面粉、盐、豆子、肉和玉米粉,这样一来,除去成本后她们根本赚不了多少钱了。妈说这里的物价太贵,足足比明尼苏达州那里的东西贵了三四倍,因为这里运输不方便,道路上都是泥巴,马车拉不了多少货物。不过妈还是能在每顿饭里挣出几美分来,这样就总比没有钱赚要好。

罗拉希望自己能有时间去看看爸盖房,然后跟爸好好聊聊这些天的事情,还有房子的事情。但是她没有这样的机会,爸总是跟那些过来吃饭的人在一起,饭后又赶着去干活儿了,根本就没有时间聊天。

只用了这么短短的一段时间,一个市镇就在原来这片荒漠的草原上诞生了。过了两个星期之后,在那条主要的街道上,很多没有刷油漆的房子的前面都立起了薄薄的装饰墙,有两层楼那么高,四四方方的顶部。在装饰墙的后面,一排排房子矗立着,倾斜的屋顶上只有一半盖了木瓦。现在那些陌生人已经住下了,炊烟从烟囱里升起,玻璃窗在阳光下闪闪发光。

有一次在那些人吃饭的时候,罗拉听到一个人说自己准备盖一间旅馆。他是头天晚上拉着一车木材来到这里的，他的太太会押着下一车木材过来。"我们的旅馆在一个星期之内就能开门营业了。"他说。

"先生，我很高兴你能做这个买卖，"爸说，"这个小镇正需要一间旅馆，你们的生意会像地政办公室那么好的！"

于是这段混乱的日子就这样匆匆地结束了，和刚开始时一样突然。一天晚上，罗拉全家人坐在一起吃晚饭，再也没有一个外人，房间里的一切又属于他们自己，这么宁静，这么舒适，就好像暴风雪之后的寂静，又好像干旱之后经过了小雨的滋润。

"我不得不说，这段时间以来，我居然都不知道自己这么累！"妈高兴地叹了一口气。

"卡洛琳，在这段为陌生人工作的日子里，你和孩子们都坚持住了，我真高兴。"爸说。

一家人并没有聊太多，他们静静地享受着这难得的宁静、温馨时刻，再次聚在一起吃晚餐，感觉非常美好。

"我和罗拉都数过了，我们一共挣了四十多美元。"妈说。

"准确地说，是四十二美元五十美分。"罗拉说。

"我们会好好地存好，尽量不去用它。"爸说。

罗拉想，尽量把这笔钱存起来，这样玛丽就能用它去上学了！

"预计那些测量员就快回来了，所以我们还是准备一下搬走，给他们腾出房子，"爸说，"我们可以先住在镇上，等我卖出了那所商店，咱们再搬到放领地去。"

"就这么决定了，查尔斯，我明天就清洗床垫，然后打包行李。"

第二天，罗拉帮助妈清洗所有的被子和毯子，她喜欢拿着一篮清洗干净的衣服和被子出去，在三月的阳光下把这些东西都晒出来。她看着这片草原，一辆辆马车沿着满是泥泞的道路向西部前进，银湖的

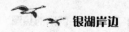

湖岸和大沼泽的中间残留着一些冰碴,那一片湖水跟天空一样碧蓝。在天空的远处,有一些小黑点正从南方飞过来,罗拉还能隐隐地听到大雁的叫声。

爸赶快走到屋里,说:"春天的第一群野大雁回来了!孩子们,中午吃烤雁肉好不好?"他拿着猎枪就出去了。

"哇,太好了,"玛丽说,"烤雁肉里要塞上鼠尾草,你觉得怎么样,罗拉?"

"不,你知道我不喜欢吃鼠尾草,"罗拉说,"你应该知道的!我要在里面塞洋葱吃。"

"不过我可不喜欢吃洋葱,"玛丽说,"我要吃鼠尾草!"

罗拉本来在擦地板,这时候她停下来,跪坐在脚跟上,说:"我可不管你爱吃什么,反正我不吃鼠尾草。有时候,我觉得我也能得到自己想要的东西。"

"孩子们,你们在干什么?"妈惊异地说,"你们在吵架吗?"

"我要吃鼠尾草!"玛丽说。

"我要吃洋葱!"罗拉喊道。

"孩子们,"妈有些难过地说,"我真不知道你们这是怎么了,你们都在说傻话,因为你们都知道,我们没有鼠尾草,也没有洋葱!"

这时,爸开门进来了,他很严肃地把枪挂好。"我没有打到一只大雁,它们到了银湖之后都没有落下就直接向更北边飞走了。雁群肯定是看到了这些新起来的房子,听到了嘈杂声,才不肯在这里落脚。看来,以后这边就没有什么猎物了。"爸说。

第二十七章　住到小·镇去

在正在建设的小镇周围,小草已经偷偷地长出来了,没过几天就变成了绿油油的一片。在阳光的照耀下,银湖湖水碧波荡漾,蓝天白云倒映在湖水中。

罗拉和凯莉慢慢地向小镇走去,玛丽在她们两个人中间走,装满了行李的马车载着爸、妈和葛丽斯跟在后面,那只奶牛走在最后面。他们一家人要搬到爸在镇上还未完工的房子里去。

测量员们已经回来了,波士德夫妇也去了他们的放领地。他们只能搬到爸那所还没完成的房子里去,除此之外,再没有别的住所了。罗拉走在人来人往的小镇,她谁都不认识,这片草原再也不像原来那样给予她无尽的自由和快乐。虽然人多了,罗拉却觉得有些孤单和恐惧,这个小镇让一切都变了模样。

在小镇那条主要的街道上,人们都忙着盖房子,地上摆满了刨花、木屑和小木块,长出来的嫩草都被压倒了,还有一条条马车留下的车辙印。通过没有钉木板的屋架看过去,在房子中间的小巷子和大街的两头,翠绿的、无边无际的草原在天空下微微起伏着延伸到远方,不过小镇却一片嘈杂,各种锯木头的声音、铁锤敲打声、木箱摔落的撞击声、卸木板的摩擦声和人们的大声喧哗声吵成一片。

罗拉和凯莉怯生生地待在路边,让爸驾着马车过去,她们扶着玛丽跟着车走,一直走到街角那里,爸盖的房子就在这儿。

这所房子的饰墙在正面高高地矗立着,遮住了半边天。房子有一个正门,两边各有一扇窗户,从正门进去之后就是一间长长的房间,在房间的另一端设有一道后门,那里也有一扇窗户。房间里铺好了宽条的地板,墙壁上也钉上了木板,一道道阳光从缝隙里照进来。房子里就只有这些,再没有别的可看了。

“这所房子不够暖和,也没来得及做得更严密,卡洛琳,”爸说,“壁板和天花板我都没有弄好,房檐下面的缝隙也没有堵好。不过幸好现在已经是春天了,我们不会觉得很冷的,而且我会尽快把房子修好。”

“首先你得弄个梯子,我们就能上阁楼去了,”妈说,“然后我再弄一个帘子,这样在你弄好隔墙之前,我们也能分出两个卧室睡觉。现在天气转暖,你可以晚一些再弄壁板和天花板。”

爸牵着奶牛和两匹马去了马厩,把它们拴好之后再回来,他架好炉灶,然后在房间里拉好一条绳子,这样妈就可以挂上帘子了。妈找了一条床单挂上去,罗拉帮着爸搭上床架,然后和凯莉一起铺床。玛丽抱着葛丽斯哄她,妈就去准备晚餐了。

在吃晚饭的时候,妈点燃了油灯,照得白色的帘子很亮。不过这个长形房间只有一半是明亮的,另一半被黑暗吞噬了。一阵阵冷风吹过缝隙进到屋里,灯火不断地闪烁着,帘子被吹得忽忽飘动。这个房

间太空旷了，不过罗拉总觉得外面的陌生人正在逼近她。在外面那些
陌生人的房子里，都透出点点的灯光，还有人提着灯笼在街上走过，一
阵阵说话的声音由远及近地飘过来。罗拉觉得这么寂静的夜里，依然
非常拥挤不堪，因为有那么多陌生人就在附近。她和玛丽躺在黑暗空
旷的房间里，看着那块不停飘动的布帘子，静静地倾听着任何动静。

罗拉甚至觉得自己是被困在这里了。

夜里,罗拉梦到了狼的叫声,她躺在床上瑟瑟发抖,不过那狼嚎只是外面的风声而已。她觉得自己很冷,好像都醒不过来了似的,被子显得很薄,罗拉只好紧紧地依偎着玛丽,把薄薄的被子拉过头顶。在她们刚躺下的时候,罗拉一直全身发抖,到最后才渐渐觉得有些暖和。后来,她听到爸在唱歌:

啊……啊……我就是那无忧无虑的,大朵向日葵,(啪啪! 啪啪!)
花朵在微风吹拂下点着头,摇曳着。
啊……啊……(啪啪! 啪啪!)
我的一颗心,(啪啪! 啪啪!)
还是那么自在清爽,(啪啪! 啪啪!)
就好像吹落树叶(啪啪! 啪啪!)
的风儿一样。啊……啊……(啪啪! 啪啪!)

罗拉轻轻地睁开眼睛,从被子里露出头来向外看,这时一片雪花轻轻地落到她的脸上,好大的一片雪花! 罗拉不禁叫了一声。

"躺着别动!"爸说,"你们几个都躺好,不要乱动,我这就把你们从雪里弄出来。你们等我生好炉火,然后把你妈从雪里弄出来。我马上就过来!"

罗拉听到炉子的盖子被挪开了,然后是哧的一声划着火柴,引着了碎木块,发出了燃烧的噼啪声。罗拉一动不动地躺着,被子就压住身上,她感到非常暖和。

很快爸就来到了帘子后,喊道:"哎呀,你们几个孩子的被子上足有一英尺那么厚的积雪。不过别担心,我会很快把雪都铲走的,跟小羊羔摆三次尾巴一样快！你们都躺着别动！"

爸铲走了被子上的雪之后，罗拉和玛丽也没有动，不过她们觉得越来越冷了。她们都哆嗦着，看爸又铲走了凯莉和葛丽斯被子上的雪。然后爸就出去了，他得去马厩把奶牛和两匹马也从积雪里弄出来。

"好了，孩子们，快起来吧！"妈说，"都拿着衣服到炉火这边穿！"

罗拉一下就从被窝里跳起来，然后在椅子上抓起衣服，一边抖着衣服上的积雪，一边光脚踩在满是积雪的地板上，跑到炉火旁边去了。她对玛丽说："你先等等，我把你衣服上的积雪都弄干净了，你再起来。"

她用力地甩着自己的衬裙和裙子，把上面来不及融化的积雪都抖掉。然后再抖抖袜子，倒掉鞋子里的雪花，然后穿上。她非常利索地完成这一切，这样在穿衣服的时候就已经不冷了。她走回去把玛丽衣服上的积雪都弄干净，然后扶着玛丽到炉火旁穿衣服。

凯莉蹦跳着过来，一边打哆嗦，一边笑着说："雪花好像在烧我的脚呢！"她觉得能在雪堆里醒过来，是一件非常新鲜的事情，所以十分兴奋，等不及罗拉来帮她抖落衣服的雪花，自己就跳起来了。罗拉帮凯莉穿好衣服，然后穿上外套，动手把屋子里的雪都扫在一起，堆在长房间后面的角落里。

罗拉在窗户那里向外看，街道上堆满了积雪，木头堆都变成了一座座雪山。有一些还没有完工的房子，那些木料从雪里伸出来，显得颜色很黄。太阳已经出来了，成片的积雪反射着玫瑰色的光芒，在那些凹进去的地方就变成了蓝色。冰冷的风从屋子的缝隙里吹进来，房间里很冷。

妈在炉火旁烘烤自己的围巾，等烤得非常暖和了就给葛丽斯戴

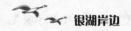

好,然后把她放到坐在炉火旁的玛丽怀里。因为这个烧得很旺的炉子,这里变得很温暖了。妈把餐桌就放到炉子旁边,等爸回来的时候,早餐已经摆好了。

"这个房间倒是个挺不赖的筛子,"爸说,"这么多缝隙能让雪花飘进来。这场暴风雪真的太厉害了!"

"在整个冬天我们都没有碰到暴风雪,居然在温暖的四月遇到了。"妈感到很惊讶。

"还好啊,暴风雪是晚上刮起来的,那会儿人们都在房子里睡觉,"爸说,"要不然白天人们都在外面干活儿,肯定会有人被冻死的。人们谁都没有想到,在四月份居然还会有暴风雪。"

"肯定不会冷太久的,"妈说,"人们都说四月下雨,五月开花,那么四月下雪会带来什么?"

"我知道会带来什么——隔墙,"爸说,"今天我就要做一面隔墙,这样炉火就不会散热太快了。"

这一天,爸真的做好了一面隔墙,他一直在炉火边锯木头、敲钉子。罗拉和凯莉在一旁帮着爸干活儿,扶着那些木板,玛丽抱着葛丽斯玩刨花。那面新的隔墙固定好之后,就隔出了一个房间,炉子、餐桌和床都在房间里,一扇窗户也被隔在了里面,从那里可以看到外面覆盖着白雪的草原。

爸搬进一些还带着积雪的木头,他开始去堵房檐下面的缝隙。"无论如何,我都要堵住一些缝隙。"他说。

镇上的房子里都传来锯木头、敲钉子的声音,大家都在修补房子。"比莉兹太太真不幸,他们开了一家旅馆,但是房子还没有修好呢!"妈说。

"国家就是这样被建设起来的,"爸说,"头顶上、脚底下都在不停地建设着。要是我们等到样样都齐全了再动手,那时我们就不能得到我们想要的东西了。"

几天之后,雪停了,春风吹过草原,带来了潮湿温暖的空气和青草的芳香味道。太阳升起的时间越来越早,总有鸟儿的鸣叫声从空中传来,不过罗拉只能看到它们在高空中飞翔,一群群地飞过,却很少落到银湖上。偶尔会有几群疲倦至极的鸟群在天黑之后落在沼泽上休息,第二天日出之前又飞走了。这些野鸟都不喜欢人满为患的小镇,罗拉也同样不喜欢。

罗拉宁可还待在荒凉的草原上,和小草、野鸟和爸的小提琴在一起,还有哪怕和狼在一起。无论怎么样,都会比这个满是泥泞和吵闹的小镇要好,这里的陌生人实在是太多了。"爸,我们什么时候搬到放领地去?"她问。

"等这所房子卖出去。"爸说。

每天都有很多马车来到小镇,沿着街道走过,经过罗拉家的窗户前。每天小镇上都充满了敲钉子的声音、很多靴子走在地上的声音和很多人吵吵闹闹的声音。铁路工人来铲平地面,赶着马车的人把枕木和铁轨卸下来。天黑之后,那些人就去酒馆里大吃大喝一番。

不过凯莉倒是对这个小镇充满了兴趣,她很好奇地看所有的东西,在窗户那里一站就是几个小时。有时妈会允许凯莉去街道对面找两个同龄的小女孩玩耍,不过那两个小女孩来找凯莉的次数更多一些,因为妈不想让凯莉总出去。

"罗拉,你不要总是这么烦躁不安的,搞得我也非常烦躁,"有一次妈这么说,"你以后肯定会教书的,还不如从现在就开始。你现在就给凯莉、路易斯和安妮当老师,这样不好吗?这么一来,凯莉也能在家里玩了,你也有事情做了,对每个人都有好处。"

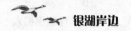

罗拉并不觉得这是个好主意,她并不想当什么老师,不过她并没有说什么,而是答应了妈的提议。

她想自己可以试试的,在第二天上午,路易斯和安妮来找凯莉的时候,罗拉对她们说可以教她们读书。她要女孩们坐成一排,教她们念妈的旧课本里的一篇文章。

"现在你们自己学习十五分钟,然后我会检查你们的背诵。"罗拉说。

女孩们睁大了眼睛,虽然都感到非常意外,不过也没有说什么,她们低着头开始学习,罗拉坐在她们的前面。这十五分钟简直太漫长了!罗拉又教她们拼写单词,然后学了算术。女孩们也有不听话的时候,罗拉总是让她们坐好,不能乱动,在想说话的时候就举手。

这一天终于过去了,到了傍晚,妈对她们说:"嗯,你们都表现得非常好!就这样,路易斯和安妮,以后每天早上都过来,罗拉会教你们功课的。你们跟自己的妈妈说一下,晚上我就会过去拜访,告诉她们这个小学校的事情。"

"好的,夫人,再见!"路易斯和安妮都垂头丧气地说着,然后走了。

"罗拉,只要你勤奋好学,并有毅力,就能成为一名合格的教师。"妈对罗拉说。

"是的,谢谢妈,"罗拉说完,又想了一下,接着说,"我做了她们的老师,肯定会好好努力的。"

以后的几个早上,棕色头发的安妮和红色头发的路易斯都会磨磨蹭蹭地走过来,她们越来越不听话,罗拉觉得教她们学习非常困难。她已经不再要求她们坐好了,因为她们根本就做不到。终于有一天,她们不再来了。

"她们太小了,根本就不懂得学习的机会,不过我不知道她们的妈妈怎么会放任她们,"妈说,"好了,罗拉,不要难过,不管怎么样你都已经迈出了第一步,在德斯密特镇已经教过一次书了。"

"我不难过。"罗拉说,她其实很高兴,终于可以不用教书了。她打扫地板都在哼着歌。

凯莉看看窗外,大喊道:"罗拉,快来看啊! 出事了,可能就是因为这个她们才不来上课的!"

原来在旅馆的前面聚集了很多人,而且还有更多人赶过来,他们都在热烈地讨论着什么事情。这让罗拉想起了那次因为发工资,爸被那些铁路工人团团围住的事情。过了一会儿,罗拉看见爸从人群里走出来,回到了家。

他严肃地推开门走进来,说:"卡洛琳,你想不想现在就搬到放领地去?"

"今天吗?"妈问。

"后天,明天我先去那里盖一间房子。"爸说。

"查尔斯,你先坐下,跟我说说到底发生了什么事情。"妈说。

"是一起谋杀案。"爸坐下来说。

"在这里发生了谋杀案?"妈听了,惊讶得睁大了眼睛。

"就在小镇的南边,"爸站起来说,"有一个想抢占放领地的人,杀死了一个叫亨特的人。亨特以前就在铁路上工作,他申请到放领地后,昨天跟他的父亲一起骑马去了那里。他们到了放领地的小屋之后,发现有个人已经住在里面了,他打开门看看他们,亨特就问那个人是谁,在这里干什么,那个人没说什么,直接开枪打死了亨特。他还想把亨特父亲也打死,不过那个老人及时逃走了。亨特父子都没有带枪,老人在今天早上赶到了米歇尔,然后带着警察回到了放领地。警察已经逮捕了那个杀人的家伙。我觉得,绞死他都不为过,要是我们

早点知道就不会出这样的事了!"

"查尔斯!"妈说。

"好了,所以我决定赶快搬到放领地去,免得有人去抢。"爸说。

"我同意你的说法,不管你盖一间什么样的房子,我们都赶快搬过去。"妈说。

"现在就给我做点饭吃,然后我就要去买木头,"爸说,"我找个人来帮忙,下午就能盖一间小屋,明天我们就搬过去,然后再收拾。"

第二十八章　搬家了

"快起床啦！今天我们要搬家，搬到放领地去！小懒鬼，快起床啦！"罗拉大喊着，摇醒还在被窝里睡觉的凯莉。

一家人匆匆地吃了早饭，没有闲聊的时间。罗拉赶快收拾了餐桌，洗干净碗盘，凯莉擦干碗盘。妈把最后一个箱子装好，爸套好马车拉过来。这次搬家是罗拉所经历的最快乐的一次。因为每个人都很高兴：妈和玛丽很高兴，因为搬到放领地之后就不会再辗转流离了，他们会在那里定居，不用搬来搬去的了；凯莉很高兴，因为她很想赶快过去看看那块放领地；罗拉很高兴，那是因为他们终于可以离开这个小镇了；爸也高兴，是因为他最喜欢搬家了；葛丽斯也一起高兴地唱着喊着，是因为大家都这么高兴，她也就跟着高兴。

凯莉把餐具全部擦干，妈把它们收到了桶里，这样就不会被磕破了。爸搬着箱子和那只桶到马车上，然后妈取下炉灶的烟囱，爸把烟囱和炉灶都搬到马车上，再把桌椅放在最上面。他看着这满满一车东

西,摸摸胡子说:"我得运两趟才能把这些东西都运走,卡洛琳,你和孩子们收拾剩下的东西吧,我先去运这趟,一会儿就回来。"

"你一个人怎么卸下炉灶啊?"妈说。

"我有办法,"爸说,"既然能装上去,就能弄下来。我会用滑板弄的,那边有木材。"

爸赶着马车走了。妈和罗拉把床垫包好,然后把爸妈睡的大床架和在镇上新买的两个小床架放下来,油灯立着收在盒子里,这样煤油就不会溢出来了。她们在灯罩里塞一些纸,然后用毛巾包起来,放在灯的旁边。这样所有的东西都已经收拾好了,就等爸回来搬了。

爸回来之后,搬着床架和盒子放到马车上,然后搬上一捆捆的床垫。罗拉把小提琴盒子递给过,爸把它塞到被子里面。然后把陈列架放在最上面,免得给弄坏了,接着爸牵过奶牛拴在车后。"卡洛琳,现在你上车吧!"他扶着妈坐到马车的弹簧座上,接着把葛丽斯举起来放到妈的腿上,"接好了!"爸接着说,"现在是玛丽!"他扶着玛丽坐到妈的座位后面的木板上,罗拉和凯莉也上了马车,分别坐在玛丽的两边。

"出发了,我们这就要到新家了!"爸说。

"哦,上帝呀,罗拉你赶快戴上遮阳帽! 要不然春天的风会吹坏你的脸的。"妈说着,给葛丽斯整理好遮阳帽,不让太阳晒到葛丽斯娇嫩的小脸蛋。玛丽也好好地戴着遮阳帽,妈当然也戴得好好的。

罗拉悄悄地拉一下飘在后面的帽带,这样遮阳帽就能往后面挪一点了。她不喜欢帽檐遮住眼睛,没有办法看到小镇了。从遮阳帽下面看出去,只能看见绿色的草原和蓝色的天空。

马车在颠簸的泥地道路上走着,罗拉紧抓着弹簧座的后面,身体一直跟着马车摇摇晃晃,而她一直都看着草原和天空。就在这个时候,突然有两匹棕色的马并肩跑过来,它们扬起尾巴和鬃毛,在蓝天之下,在碧草连天的草原上跑过来。它们的皮毛都闪着亮光,细长的腿迈着优雅轻盈的步伐奔跑着,两只耳朵支愣着,非常精神抖擞。在超过罗拉他们的时候,还甩甩头,漂亮极了!

"啊,你们快看啊,多漂亮的马啊!"罗拉喊着,一直追着看这两匹马,它们拉着一辆轻巧的马车,上面有一个年轻的小伙子驾车,另一个个子更高的年轻人则站在后面,一只手搭在驾车的小伙子肩膀上。一会儿之后,两个年轻人和那辆马车都不见了,罗拉也看不见那两匹马了。

爸也转头看了看他们,告诉罗拉:"他们是怀德兄弟,驾车的那个小伙子叫亚尔曼,后面的是他的哥哥罗耶。他们已经申请到小镇北边的放领地了,那两匹马是这个地方最好的马。哎,我都很少能见到那么好的两匹马!"

罗拉真希望自己也能有那样的两匹好马,不过她心里知道自己永远也不会有的。

爸驾着车向南走,穿过草原,走下一个斜坡,向大沼泽那边驶过去。大沼泽的凹地上长满了很粗的野草,一只苍鹭在水里飞起来,它有两条长长的细腿。

"爸,它们得花多少钱啊?"罗拉问。

"什么呀? 我爱操心的姑娘。"爸说。

"就是刚才那两匹好马,得花多少钱才能买?"

"刚才的那两匹马呀,我觉得肯定不少于二百五十美元,没准得值三百美元呢! 罗拉,你问这个干什么?"爸说。

"没什么,我就是想知道。"罗拉说。三百美元! 这是一大笔钱,罗拉想都不敢想。看来只有有钱人才能出得起这么一大笔钱去买好马,罗拉要是有钱的话,就买两匹长着黑色尾巴和鬃毛的马就好。她任凭

风吹着遮阳帽,一直落到脑袋后面,心里反复回忆着骑着那样的好马的感觉。

大沼泽向着西方和南方延伸得很远,在马车的另一边,又软又湿的沼泽变得很窄,一直延伸到银湖狭窄的顶端。爸驾着马车驶过这块地方,走上了后面的高地。

"我们到家了!"爸对她们说。罗拉看见一间新建好的小木屋在阳光下矗立着,在这片起伏的草原上,这个小屋就像一个黄色的玩具。

爸扶着妈下马车,妈笑着说:"查尔斯,这间木屋好像被劈开了,只剩下一半似的。"

"卡洛琳,你说错了,"爸说,"这间木屋只是刚完成一半,另一半还没弄好。我现在就能盖好它,很快就能完工了!"

这间小木屋和完成一半的屋顶都是用粗糙的木板盖好的,木板子之间还有很多缝隙,窗户也没有安上,也没有门,不过屋子里装好了地板,地板上开了一道暗门能通到地窖去。

"昨天我拼命地干活,也只能挖出地窖,然后把四面的墙简单地弄好,"爸说,"不过今天我们都搬过来了,这样就没人能抢走这块放领地了。卡洛琳,你别担心,我会把一切都料理好的。"

"没关系,查尔斯,能搬到我们自己的家里来,我非常高兴。"妈说。

那天太阳落山之前,他们就住进了这间有趣的小屋子。现在他们已经架好了炉灶,铺好床,挂好帘子,在这个不大的房间里隔出两个小房间。妈和罗拉赶快做了晚饭,全家人一起吃饭,然后再洗好碗,这时天色渐晚,美丽的夜色让每个人都不愿点灯破坏它。

妈坐在没有装门板的屋门边,在摇椅上抱着葛丽斯轻轻地摇着,凯莉挨着她坐着。玛丽和罗拉也坐在门口,爸坐在外面的一把椅子上。他们都没有说话,静静地欣赏着夜色。天上的星星一颗颗出现,

大沼泽里响起来一片蛙声。

　　一阵小风吹过,像天鹅绒一样轻柔美丽的夜幕下,星星在一闪一闪地眨着眼睛。

　　爸轻轻地说:"罗拉,我想来一点音乐。"

　　罗拉去妈的床下取出小提琴盒子,爸拿过来取出小提琴,调好音,演奏出一首歌来:

把忧郁烦闷都赶走，
哭泣和悲伤总是一起的，
要是今天不顺利，
那明天又是一个新开始。

把忧郁烦闷都赶走，
只要你努力做到最好，
凭自己的努力去拼搏，
这是每个人的座右铭。

"等你把小屋的屋顶弄好，我就把牧羊女的瓷像拿出来摆好。"
妈说。

爸拉着小提琴，用轻快的琴声回答了她，那优美的旋律好像是灿烂的阳光下，水欢快地流进了池塘。这时美丽的月亮升起了，星星的光辉衬托着月亮，洒下青白色的月光，淡淡地照在辽阔无边的草原上。爸拉着小提琴，轻轻地唱着：

明亮的星星为我照亮道路，
轻轻的风停了下来，
如水的夜色笼罩大地，
我看到有一盏小小的烛光，
在山下的小屋里闪烁，
我知道那是为我而闪亮。

第二十九章　放领地的小木屋

　　搬进新家的第二天早上,爸说:"今天的第一件事情就是挖一口井。"吃过饭之后,他扛着铁锹吹着口哨去了大沼泽那边。罗拉赶快收拾桌子,妈把床单叠起来,免得一会儿收拾的时候弄脏了。

　　"好了,孩子们,"妈兴致高昂地说,"我们都打起精神来,一起把所有的东西都收拾好。"

　　不过那天早上妈都有些迷糊了,因为东西摆得满地都是,整间小屋都没有地方下脚了。每一样东西都得归放适合的地方去,罗拉、凯莉和妈把这些家具挪过来挪过去,然后再想想,又接着挪动。等爸干完活儿回来,玛丽的摇椅还没被放进屋里。

　　"卡洛琳! 你的水井已经挖好了,"爸高兴地说,"有六英尺深,井水又清又凉! 我还准备做一个井盖,这样葛丽斯就不会掉下去了。"他看看屋子里的一团乱麻,推推帽子说:"所有的东西不能都放进来吗?"

　　"没问题的,查尔斯,"妈说,"没有人办不了的事情。"

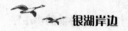

最后,罗拉想到了该怎么放床,她们目前最大的问题就是,现在有三张床,如果要是把三张床并排放置的话,玛丽的摇椅就没有地方搁了。罗拉要把两张小床靠着屋子的角落放在一起,然后把大床的床腿挨着小床放,床头正好抵住另一面墙。

"在这两张床的旁边拉上帘子,"罗拉对妈说,"然后在大床的旁边再拉上帘子,这样就能有一块空地了,挨着帘子就能放下玛丽的摇椅。"

"我的女儿真聪明。"妈称赞她。

餐桌放在玛丽和罗拉的床的旁边,正好是在爸正忙着锯开的那个窗子下面。桌子的旁边放着妈的那张摇椅,门后的墙角里放着陈列架,另一个墙角放着炉子,炉子旁边是碗柜,装满了衣服的箱子放在炉子和玛丽的摇椅中间。

"看啊,其他的箱子都能塞到床底下,真是太好了!"妈说。

吃午饭的时候,爸说:"今天下午我会盖另一半的房子,天黑之前就能弄好。"饭后,爸马上就开始干。他在炉子的南面墙上开了一扇窗户,再把从镇上买回来的门装好,然后在小屋的外面钉上一层黑色的沥青纸。

罗拉给爸帮忙,她打开那些很宽的黑色沥青纸,它发出很重的难闻味道,不过还是要把它铺到小屋的屋顶上去,还得用它包住新鲜干净味道的墙壁木板,多余的沥青纸要剪断。爸用木条钉紧沥青纸,罗拉就帮着拉紧它。沥青纸不好看也不好闻,不过它能遮住缝隙,不让风吹进屋里。

当一家人围坐在餐桌旁吃晚饭的时候,爸说:"这一天的工作都完美地完成了。"

"是啊,明天我们就可以打开所有的行李,把东西都拿出来放好,"

妈说,"我应该做一些好吃的庆祝一下,现在又有发酵团可用了真好,我不想再做酸饼干了。"

"你做发酵面包好吃,酸饼干也很好吃啊!"爸说,"不过我要是弄不到木柴的话,就什么都做不出来啦!我明天就去亨利湖捡一车木柴去。"

"爸,我也能跟你一起去吧!"罗拉说。

"爸,我也想去!"凯莉说。

"不行啊,孩子们,我得去很长时间,家里妈还需要你们帮忙。"爸说。

"我是想去看看树。"凯莉说。

"凯莉说的没错,"妈说,"我也想去看看树呢,因为这里一棵树都没有,光秃秃的没什么看头,我都觉得厌烦了!"

"这里很快就会长满了树木的,"爸说,"这是美国政府提议倡导的,政府要求每一块放领地都得种上树,并且不能少于十英亩。就这样,等过上四五年,你就会看见这里到处绿树成荫。"

"那我可要好好地看看,"妈笑着说,"夏天的时候,成片的绿树荫凉最让人舒缓放松了,还有树林能挡住暴风。"

"这点我倒是不知道,"爸说,"不过树木总是长得很散,枝条伸出四面八方都是。卡洛琳,你应该还记得在威斯康星大森林里开垦土地的情况,要想清理一块土地出来种庄稼,先得刨走树干,然后挖出土里的断根,总是累得半死。所以说,要是种田的话,还得说这样的草原最好最适合,不用这么费事了。不过政府好像没有考虑这一点,所以你不用担心,在这里你以后会看到很多树的。如你所说,树林能够挡住暴风,改善气候。"

经过这一天的忙碌,大家都很累了,就没有听音乐,早早地上床睡

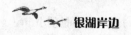

觉了。第二天一大早,爸驾着马车去了亨利湖。

　　早上,罗拉牵着奶牛去井边喝水,看到这个世界如此美好!碧绿青翠的大草原上,处处都点缀了小小的白色野花,晨风吹来,草尖和小野花纷纷起舞。在小木屋下面的斜坡下,很多野生的红番花一丛丛地开放在绿草间,黄色和蓝色相间的花朵非常好看,还有很多粉紫色的小花开在三叶草形状的叶子上。罗拉知道这种花可以吃的,她一边走一边摘了一些,放进嘴里轻轻地咬着,慢慢地品尝着细细的花梗和花瓣的新鲜酸涩滋味。

　　罗拉把奶牛牵到一片新鲜的草地上放牧,她从这里看过去,能看见北边的小镇。大沼泽向西南方向延伸过去,上面长满了高高的荒草。而大沼泽之外的草原,就好像一块绣满了春天花朵的绿色地毯一样。

　　罗拉已经是个大姑娘了,不过她还是天真地张开手臂,迎着风快跑起来,然后倒在草地上打滚,好像一匹小野马。她满足地躺着柔软芳香的草地上,看着头顶蓝蓝的天和朵朵珍珠一样白的云彩,快乐得眼睛里都充满了泪水。

　　突然她想起裙子上也许会被染上草汁,赶快站起来查看一下,果然在白色的裙子上已经有了一块绿色的污渍。她想到自己应该回去帮妈干活儿了,然后赶快回到覆盖着黑色沥青纸的小屋。

　　"真像虎皮条纹。"罗拉说。

　　妈正在忙着把自己的书都放到陈列架的下面一层上,她惊讶地抬起头看着罗拉,问:"你在说什么呀?"

　　"我是说咱们的小木屋,黑色的沥青纸上钉着黄色的木条,好像虎皮一样。"罗拉说。

　　"老虎皮的条纹应该是黄底黑色条纹。"玛丽说。

"孩子们,快把你们的盒子打开,"妈说,"我们要把自己的漂亮东西都拿出来,放到陈列架上。"

陈列架上的最下面一层放着书,上面的一层放着玛丽、罗拉和凯莉的玻璃盒,盒子每一面都有霜花,盒盖上有彩绘的花朵,这三个美丽的盒子让那一层非常闪耀。

再上面的一层,妈把小座钟放在上面,黄棕色的木头架子上是圆形的玻璃钟面。钟面的四周都刻有花边,背面是金色的花朵图案,钟摆不停地荡来荡去,发出了"滴答滴答"声音。

再上面就是陈列架最高的一层了,也是面积最小的一层。上面放着罗拉的白瓷首饰盒,盒顶有一套金色茶杯,还放着凯莉的那个棕色和白色相间的小瓷狗。

"这个陈列架好漂亮啊,"妈说,"关上门之后,这些美丽的东西会让房间非常漂亮。现在,我们把牧羊女瓷像放上去吧!"妈说着,看了旁边一眼,惊呼:"天啊,面团已经发起来了!"

原来,发酵的面团都顶起了锅盖,妈赶快在面板上撒一些干面粉,然后把面团弄出来揉着,她开始做午饭了。妈把做好的小饼干放进烤箱里,这时候爸驾着马车回来了。马车上堆满了柳树枝,都是爸从银湖那里弄回来做夏天的木柴用的,那里的木柴并不算多。

"我爱操心的姑娘,还有卡洛琳,你们别着急吃饭,"爸说,"你们先等我去拴好马,然后给你们看点好东西!"说着,爸就赶快卸下马具,然后牵着马拴好。他赶快又跑回来,从马车车厢的前面掀开一条毡子。

"快看啊,卡洛琳,我一路上都用毡子盖好的,免得被风吹干。"爸高兴地说。

"是什么呀?"妈和罗拉都走过去看,凯莉爬到车轮上看。"是树!"妈喊道。

"小树!"罗拉大声喊着,"玛丽,爸带回很多小树来!"

"这些是白杨树,"爸说,"我们从布鲁金思走过草原的时候,不是看到过一棵巨大的孤独的树吗?这些小树苗就是那棵树的种子长成的,你要是离近了看看那棵树,会发现它无比巨大。亨利湖的四周散布着许多它的树苗,我挖了很多,咱们可以种在小屋的四周,这样能够防风。卡洛琳,你可以看着这些树苗长大,它们会长得跟我栽下去的速度一样快。"

爸在马车上取下铲子,说:"卡洛琳,第一棵树为你而种,你选一棵树苗,然后告诉我,你想栽到什么地方?"

"等等!"妈说着就赶快回到屋里,她关上烤箱的门,然后把土豆放好。她走出来选好一棵树苗,说想把它栽到门边。

爸用铲子在土地上划出一个方形,然后铲开草皮,挖好一个树坑,把里面的泥土疏松,然后把树苗拿过来,非常小心地没有弄掉树根上带的泥土。

"卡洛琳,扶好树苗。"爸说。妈就抓着树苗的树梢扶正,爸往树坑里填土,直到被填满,接着他把泥土踩实。他退后几步,满意地看着树苗说:"卡洛琳,你现在就能看到一棵树了,而且这是你自己的树!等午饭之后我们得给树苗浇水,现在先把它们种下来。玛丽,轮到你来栽树苗了!"

爸在刚种好的树苗旁边挖了一个树坑,然后在马车上取下一棵树苗,让玛丽扶好,他将泥土填进坑里。这棵树就是玛丽的了。

"罗拉,这次轮到你了,"爸说,"房子的周围都栽满了树,这样才能防风。我和你妈把树栽到门边,然后你们几个的树就挨着我们的树栽。"

　　罗拉扶正树苗,爸向树坑里填土,接着是凯莉。一会儿的工夫,四棵小树就整齐地排列在房子周围了。

　　"现在轮到葛丽斯来选树苗了,"爸说,"葛丽斯在哪啊?卡洛琳,叫葛丽斯过来栽树!"

　　妈在屋里向外面看看,说:"查尔斯,她应该跟你在一起!"

　　"我想葛丽斯是去小屋后面玩了,我去找她!"凯莉跑到小屋后面

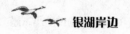

喊着葛丽斯的名字,很快她就回来了,那张苍白的小脸显得更没有血色了,小小的雀斑显得非常清晰,她的大眼睛里充满了恐惧,喊道:"爸,葛丽斯不见了!"

"她就在附近。葛丽斯!葛丽斯!"妈用力地喊着,爸也同样喊着最小的女儿名字。

"罗拉!凯莉!你们别傻站着,赶快去找葛丽斯。快去啊!"妈说,然后突然惊叫了一声"水井!",然后向小路跑过去。

水井盖着盖子,葛丽斯肯定不会掉下去的。

"她不会走丢的。"爸安慰妈说。

"我让她待在外面,还以为一直和你们在一起呢!"妈焦急地说。

"她不会丢的,一分钟之前我还看到了她。葛丽斯!葛丽斯!"爸大喊着。

罗拉一口气跑上小山坡,四处寻找葛丽斯,不过她一直没有发现葛丽斯。她就沿着沼泽向银湖一路找过去,一直走到满是野花和嫩草的草原,无论罗拉怎么寻找,怎么呼喊,这里除了绿草野花之外,就什么都没有了。"葛丽斯!葛丽斯!"

罗拉跑下山坡的时候看见了爸,妈也跟在后面。"这个地方这么平坦,可以一览无余,你没有看见她,难道她……"爸说,惊恐地大喊出来,"大沼泽!"他转身就跑。

妈也跟着向沼泽方向跑过去,回头对她们说:"凯莉,你和玛丽待在家里。罗拉,你再去找葛丽斯,快去!"

玛丽也站到小屋的门口大喊:"葛丽斯!葛丽斯!"爸妈的声音从大沼泽那边模糊地传过来:"葛丽斯!葛丽斯!"

如果葛丽斯真的去了大沼泽而迷路了,那该怎么办啊?那里多年生长的野草长得比罗拉还高,而且延伸很长很大的一块,里面遍布淤泥和水坑,谁进去都会陷进去的。罗拉都可以听见大沼泽里的枯草在风中发出低沉的沙沙声,那种声音大得盖住了妈发抖的喊声。

罗拉觉得自己全身发冷,非常难受。

"罗拉,你快去找葛丽斯啊!"凯莉哭喊着,"不要傻站着,赶紧去找啊! 我去找!"

"妈要你和玛丽待在家里,"罗拉说,"你还是跟玛丽在一起吧!"

"那你快去找啊!"凯莉喊着,"快去找! 葛丽斯! 葛丽斯!"

"凯莉,你冷静一下,让我好好想想!"罗拉喊着,然后向阳光四射的草原跑过去。

第三十章　盛开的紫罗兰

　　罗拉一直向南边跑去,光着脚踩在青草上,一只只蝴蝶在花丛中穿梭飞舞。这里没有什么可以遮住人的东西,葛丽斯根本没有地方可以藏。这里只有遍地的野花和小草,根本没有人。

　　罗拉分析,葛丽斯这样的小女孩,如果一个人玩的话,她不会往黑乎乎的沼泽地里走的,也不会走近淤泥和荒草中。罗拉心里感到非常内疚,责怪自己没有好好地看住最小的妹妹葛丽斯,她那么甜美,那么无助,罗拉一想到她自己处在陌生的地方,心里就疼得不行。"葛丽斯!葛丽斯!"她大喊着。

　　罗拉就一直向前跑着,喊着小妹妹的名字,心里想她应该就是沿着这条路走的,肯定是追着一只蝴蝶跑远了。她肯定不会去大沼泽的!她肯定没有去爬山!天啊,全家人的宝贝葛丽斯,罗拉怎么找也找不到她,她只能发狂似的喊着:"葛丽斯!葛丽斯!"

　　这个迷人的草原这么大,大得吓人,如果有迷路的孩子,一定找不

到家的。爸妈焦急的喊声从大沼泽那边隐约地传过来,在持续不停的风里,在这个广阔无边的草原中,那些喊声显得那么脆弱无力。

　　罗拉深呼吸了一下,觉得肋骨都在隐隐作痛,她胸闷头晕,眼睛都快看不清东西了。她一直跑到一个矮矮的山坡上,这里没有葛丽斯,

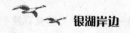

旁边的草地上也没有！她向前跑着，突然前面凹了下去，几乎掉到了一个圆坑里。

啊！她看见了葛丽斯，她就在那里！她好像坐在一片蓝汪汪的水池上，金色的头发在阳光下闪闪发光，被风吹得轻轻地飘着，她抬起头，一双跟紫罗兰一样美丽的蓝眼睛看着罗拉。她举起手里拿的一大束紫罗兰花，笑着说："多可爱呀！多可爱！"

罗拉坐着小心地滑下去，然后搂住葛丽斯，大口地喘着气。葛丽斯在她的怀里，还伸着胳膊想去摘更多的紫罗兰花。在她们的周围，开满了绚烂的紫罗兰，这个地方就像一个湖底一样，周围长着一圈和草原一般高的、长满了青草的堤岸。在这个圆圆的紫罗兰之湖里，几乎没有一丝风，紫罗兰的香气在里面聚集，久久不散。阳光温暖地照射下来，抬头就能看到蓝天，满是青草的堤岸围绕四周，很多蝴蝶都在紫罗兰的花海中徜徉飞舞。

罗拉站起来，拉起葛丽斯，手里拿着她递过来的紫罗兰，说："葛丽斯，我们该回家了！"

她帮着葛丽斯爬上草原，然后她回头看看这个紫罗兰之湖。葛丽斯走得很慢，所以罗拉抱着她走，一会儿之后又放下她自己走，因为葛丽斯都三岁了，很沉。就这样走一会儿抱一会儿，罗拉和葛丽斯回到了小屋，交给了玛丽。她向着大沼泽那边跑去，喊道："爸！妈！我找到葛丽斯了！"她一直喊着，直到爸听见了，然后爸去沼泽深处找妈。他们一起从沼泽里奋力走出来，慢慢地走回小屋，身上都沾满了污泥，疲劳极了，但是都感到很欣慰。

"罗拉，你在哪里找到她的？"妈抱着葛丽斯，重重地坐在摇椅上。

"是在一个……"罗拉说，"爸，真的有仙女圈这种地方吗？那里是个很圆的形状，深深地凹进去，底部一片平坦。周围都长满了青草，跟草原一样高,要不是站在它旁边,在远处根本就看不到它。这个圆圈很大,里面长满了好看的紫罗兰。那里应该不是自然形成的,我想是某种外力造成的。"

"罗拉,你都是大姑娘了,不能再相信童话故事了,"妈说,"查尔斯,你不能总让她们生活在童话里。"

"我知道,不过那里真的不像真实的地方,很梦幻,"罗拉说,"你们闻闻那些紫罗兰有多芳香,并不是普通的紫罗兰。"

"嗯,是很香,屋子里都是这种香味,"妈说,"不过这就是真实的紫罗兰,也没有仙女什么的。"

"罗拉,你说得对,"爸说,"人类肯定不能弄出那样神奇的地方,但是你所谓的仙女其实是一些丑陋的野兽,头上有角,背上有肉峰——是野牛!那个地方就是野牛打滚的地方,野牛肯定就是野生的牛,它们总在同一个地方刨坑打滚,就跟咱们养的牛一样。

"野牛群刨出来的坑一直都存在,旁边抛出来的泥土就被风吹走了,然后另一群野牛也来这里打滚,继续刨土,就这样日复一日,年复一年,它们都在这个地方打滚……"

"爸,为什么它们都在同一个地方打滚呢?"罗拉问。

"我也说不出为什么,"爸说,"也许是因为那里的土地很肥沃吧,就这样一直到现在,那些野牛都走了,青草和紫罗兰就在里面生长,就成了现在这个样子。"

"好了,只要有个好结局就行了,"妈说,"午饭时间都过去很久了,玛丽,你和凯莉没有把饼干烤糊吧?"

"没有,妈。"玛丽说。凯莉把包在一块干净的布里的饼干拿出来,还有那锅已经煮好的土豆。

"妈,你坐着休息一会儿,我去做煎肉和肉汤。"罗拉说。

　　除了葛丽斯,他们谁都没有感觉到饿。他们慢慢地吃完,然后去接着栽树,妈帮着葛丽斯扶正树苗,爸往树坑里填土。等所有的树苗都栽好了,罗拉和凯莉就打水浇树,每棵树都浇一桶水。她们还没有浇完所有的树苗,就已经到了做晚饭的时候。

　　"我们总算在放领地上住下来了!"吃晚饭的时候,爸说。

　　"是啊,"妈说,"我们还忘了一件事情,这一天忙忙碌碌的,都没能来得及把托架给钉好。"

　　"我来钉好它,等我喝了茶就钉。"爸说。

　　他从床下的工具箱里拿出锤子,在桌子和陈列架的中间钉进一个钉子,说:"卡洛琳,把托架和那个牧羊女瓷像拿过来吧!"

　　妈拿出这些东西,爸就把托架挂在上面固定好,然后把牧羊女瓷像放在托架上。牧羊女那小小的鞋子、漂亮的紧身衣服、金色的头发都像很久以前在大森林一样美丽,她穿着白色的长裙,粉色的脸颊和蓝蓝的眼睛都和以前一样好看。这个托架是很久以前的一个圣诞节时,爸送给妈的礼物,这么多年过去了,上面一个划痕也没有,比刚做好的时候更加细腻光滑了。

　　爸将自己的两把枪挂在门后,在枪的上面钉上一个钉子,挂上一块马蹄铁。

　　"好了,每件大事都是从小事做起。卡洛琳,现在是我们家最困难的时候,不过这只是一个美好的开始。"爸一边说,一边看着这个放满了东西、又非常温馨的小屋。

　　妈笑呵呵地看着爸,没有说话。·

　　"我想唱首歌给你们听,就唱那首马蹄铁的歌。"爸对罗拉说。

　　罗拉拿来小提琴盒子,爸拿出小提琴并调好音弦。妈抱着葛丽斯坐在摇椅上轻轻地摇着,罗拉轻轻地洗碗,凯莉在一边等着擦干碗盘。

爸拉着小提琴,唱着:

> 我们快乐地走在人生的旅途中,
>
> 我们和睦相处,
>
> 我们团结友爱,
>
> 要是朋友来看我,
>
> 我们都感到快乐无比,
>
> 我们的家如此幸福而快乐,
>
> 我们无欲无求,知足常乐,
>
> 要问这是为什么,
>
> 因为门口挂了一块马蹄铁!
>
> 门口挂上一块马蹄铁,
>
> 好运一直伴随你!
>
> 门口挂上一块马蹄铁,
>
> 好运一直伴随你!

"查尔斯,我觉得这首歌并不像基督教徒的歌曲。"妈说。

"不管他,"爸说,"我们在这里一定会生活得很幸福的,我从不怀疑这一点。卡洛琳,以后我们会有更多的房子,而且还会有一对好马拉的马车。我并不想耕耘太多的土地,只耕耘出一个菜园和一小块田地,够咱们自己吃菜吃粮食就行了,剩下的土地都用来种草和养牛,原来这里有很多野牛,证明这里非常适合养牛。"

罗拉洗了碗之后,把剩下的水倒在后门外面的草地上,很快水就会蒸发的。她抬头看看天空,有几颗星星正在眨眼,远处的小镇上闪现出几点灯光,草原已经被夜色笼罩了。这时候空气里非常平静,没

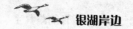

有风吹过,草丛中有昆虫的叫声,好像在低语着什么。大地、清水、天空和空气,都是自然和永恒的。

　　"野牛已经都走了,我们现在是放领地的主人。"罗拉想。

第三十一章　蚊　子

"我得赶快给马盖一个马厩,它们不能总待在外面过夜,哪怕是夏天也不行,也可能会有大风暴来的,它们需要一个能庇护的地方。"爸说。

"奶牛也是吗?"罗拉问。

"在夏天,牛在外面过夜最好,但是马就得进马厩才行。"爸说。

爸将马厩选在房子的西边来盖,靠着小山坡,在冬天的时候就能挡住从西北刮来的寒风。罗拉帮忙一起盖马厩,她为爸扶着木板,并递给爸工具和钉子。

现在天气渐渐有些热了,很多蚊子在沼泽那里飞过来,每天夜里都骚扰奶牛,它们嗡嗡地叫着,不停地吸着奶牛的血,奶牛只好拖着绳子不停地转着走。马匹也被蚊子骚扰着,不停地跺着蹄子,甩着尾巴。蚊子也能飞进屋里,罗拉一家人都被咬得满身都是红疙瘩。

蚊子不停地嗡嗡叫着,不停地吸着人和动物的血,让夜晚变得难

以忍受。

"这可不行啊,我得去买些纱网装到窗户和门上。"爸说。

"都是那个大沼泽的缘故,蚊子都是在那里滋生的。我真希望能离它远一些!"妈说。

不过爸并不这么想,他很喜欢大沼泽,说:"大沼泽那边有很多亩牧草,谁去割都可以。总不会有人选那片沼泽当放领地。我们这边只有高地的干草,不过因为离沼泽很近,这样就能很方便地去割牧草,想割多少就割多少。而且,蚊子也会藏在草原上的草丛里,哪里都一样。我今天就去镇上买纱网,这个问题很快就能解决。"

然后,爸真的买回来一些粉色的纱网,还有一些做沙门框架的木条。爸来做沙门的框架,妈在窗户上钉好纱网。一会儿之后,她又把纱网钉到爸做好的沙门框架上,爸把做好的沙门挂起来。

晚上,爸点燃了一堆潮湿的草,冒出很多烟雾,向着马厩飘过去,这样蚊子就不能飞进马厩了。

然后爸为奶牛点燃一堆湿草,奶牛站在烟雾里就不会被蚊子叮咬了。它很快就走了进去。

爸最后检查了一下火堆旁,确认没有干草,这样再往火堆上放一些潮湿的草,火堆冒着浓烟可以持续一夜。

"好了,我相信蚊子不能再肆虐了!"爸说。

第三十二章　宁静的夜

　　山姆和大卫静静地在马厩里休息，蚊子在烟雾的外面，完全不能飞进马厩里去。而奶牛也在烟雾里舒服地躺着，再也不受蚊子的骚扰了。

　　罗拉一家在小木屋里，蚊子同样被纱网隔在了外面，屋子里安静多了，再也没有嗡嗡地叫声。

　　"现在我们终于舒服了，不用那么辛苦。罗拉，把小提琴拿来，我们来听听音乐。"爸说。

　　葛丽斯已经在她的小床上睡着了，凯莉坐在她的身边。玛丽和妈都坐在摇椅上，在阴影里轻轻地摇着。月光在南边的窗户里倾泻进来，照亮了爸和他手里的小提琴。

　　罗拉坐在玛丽的旁边，从窗户那里看着那轮皎洁的月亮，想着那片开满了紫罗兰的仙女圈，现在在月光的照射下该是多么美丽，这么美的月色，仙女们肯定会在那里翩翩起舞吧！

爸拉着小提琴,轻轻地唱着:

我出生在斯嘉丽小镇,
那里有一个美丽的姑娘,
小伙子都高喊着她的名字,
芭芭拉·艾伦!

五月的美好日子里,
绿色四处萌发,
年轻的强尼病倒在床上,
心里想着他最爱的芭芭拉·艾伦。

罗拉和玛丽到她们的卧室里，跟凯莉和葛丽斯一起入睡。罗拉轻轻地拉上帘子。

当罗拉慢慢地睡着的时候，心里还想着那片美丽的仙女圈，想着倾洒在放领地草原上的皎洁月光。爸轻轻地拉着小提琴唱着：

家，甜蜜的家，

家，甜蜜的家，

哪怕它简陋无比，

哪里也比不上我的家。